DU MÊME AUTEUR

Aux Éditions Gallimard

LE PROCÈS-VERBAL (Folio nº 353). Illustré par Baudoin (Futuropolis / Gallimard)

LA FIÈVRE (L'Imaginaire nº 253)

LE DÉLUGE (L'Imaginaire nº 309)

L'EXTASE MATÉRIELLE (Folio essais nº 212)

TERRA AMATA (L'Imaginaire nº 391)

LA LIVRE DES FUITES (L'Imaginaire nº 225)

LA GUERRE (L'Imaginaire nº 271)

LES GÉANTS (L'Imaginaire nº 362)

VOYAGES DE L'AUTRE CÔTÉ (L'Imaginaire nº 326)

LES PROPHÉTIES DU CHILAM BALAM

MONDO ET AUTRES HISTOIRES (Folio nº 1365, Folio Plus nº 18, Folioplus classiques nº 67, PEUPLE DU CIEL suivi de LES BERGERS, Folio 2€ nº 3792)

L'INCONNU SUR LA TERRE (L'Imaginaire nº 394)

DÉSERT (Folio nº 1670)

TROIS VILLES SAINTES

LA RONDE ET AUTRES FAITS DIVERS (Folio nº 2148 et Écoutez lire)

RELATION DE MICHOACÁN

LE CHERCHEUR D'OR (Folio nº 2000)

VOYAGE À RODRIGUES, *journal* (Folio nº 2949)

LE RÊVE MEXICAIN OU LA PENSÉE INTERROMPUE (Folio essais nº 178)

PRINTEMPS ET AUTRES SAISONS (Folio nº 2264)

ONITSHA (Folio nº 2472)

ÉTOILE ERRANTE (Folio nº 2592)

PAWANA (La Bibliothèque Gallimard nº 112)

LA QUARANTAINE (Folio nº 2974)

POISSON D'OR (Folio nº 3192)

Suite des œuvres de J.M.G. Le Clézio en fin de volume

CHANSON BRETONNE

suivi de

L'ENFANT ET LA GUERRE

Deux contes

J.M.G. LE CLÉZIO

CHANSON BRETONNE

suivi de

L'ENFANT ET LA GUERRE

Deux contes

nrf

GALLIMARD

Il a été tiré de l'édition originale de cet ouvrage
cent exemplaires sur vélin rivoli
des papeteries Arjowiggins numérotés de 1 *à* 100.

aux Simone

CHANSON BRETONNE

COMBRIT. - Le Cosquer
Collection Villard, Quimper

Bien que je n'y sois pas né, et que je n'y aie jamais vécu plus de quelques mois chaque été, entre 48 et 54, c'est le pays qui m'a apporté le plus d'émotions et de souvenirs – l'Afrique, c'était une autre vie, et quand elle a pris fin en 48, puis lorsque mon père est revenu vivre en France dans les années 50, je l'ai oubliée, non pas rejetée, mais effacée, comme quelque chose d'impossible, d'irréel, de trop grand, peut-être de dangereux.

La Bretagne, c'était familier – familial. Puisque j'ai grandi avec l'idée que nous (ceux de notre nom, à mon père et à ma mère, ceux de notre origine) étions des Bretons et qu'aussi loin que nous puissions remonter nous étions reliés par ce fil invisible et solide à ce pays.

Je n'en ferai pas le récit chronologique. Les souvenirs sont ennuyeux, et les enfants ne connaissent pas la chronologie. Les jours pour eux s'ajoutent aux jours, non pas pour construire une histoire mais pour s'agrandir, occuper l'espace, se multiplier, se fracturer, résonner.

Sainte-Marine

Si je reviens au village de mon enfance, ce village d'été où je suis allé chaque année, sitôt l'école finie, Sainte-Marine, je ne reconnais aujourd'hui à peu près rien. La longue rue qui va de l'entrée vers la pointe de Combrit est toujours bien là où elle était, pas plus large ni rectiligne. Je vois la cale du port, les vieilles maisons, l'abri du marin, la chapelle mignonne. Tout est à la même place, mais quelque chose a changé. Bien sûr le temps est passé, sur moi et sur les maisons, le temps a usé et repeint, a modifié l'échelle, a modernisé le paysage. La route est goudronnée, et surtout bariolée de peinture blanche, ces signalisations qui tracent les places de stationnement, créent des chicanes, des pointillés, des stops. On a construit des ronds-points pour contrôler le flux des voitures, des portiques en bois pour interdire le passage des camping-cars, des panneaux pour réglementer le stationnement, des bornes et des arceaux pour l'interdire. Les cafés sont apparus, les crêperies avec terrasses et parasols, les magasins de cartes postales et de souvenirs. Tout cela brille d'un vernis de modernité provinciale, une sorte d'imperméabilisant pour rendre le village étanche au temps, pour le protéger des atteintes contre le passé, un vernis au tampon sur un meuble d'antiquaire. Aujourd'hui on entre dans Sainte-Marine en voiture, mais on ne s'y arrête pas. L'été, le flot des visiteurs est si important qu'il faut continuer sa route, aller jusqu'au cap, peut-être le temps d'une photo, et revenir en arrière. On entre, puis on s'en va. C'est ici pourtant que j'ai vécu tous ces jours, chaque année, chaque été, que j'ai rempli ma tête d'images, que j'ai découvert mon enfance.

Difficile de connecter le village d'hier à ce qu'il est devenu. Bien sûr le monde a changé. Sainte-Marine n'est pas le seul endroit. Comment se fait-il qu'ici cela m'affecte davantage ? Quelle image ai-je gardée au cœur, comme un secret précieux, dont la caricature me trouble plus qu'aucune autre, me donne le sentiment d'un trésor volé ?

Sainte-Marine, c'était cette longue rue que nous abordions, ma famille et moi, chaque été, venant du sud de la France à bord de la Renault Monaquatre antédiluvienne de mes parents, pour trois mois de vacances idéales, de liberté, d'aventure, de dépaysement. Le cœur de Sainte-Marine, quand nous arrivions, c'était moins la chapelle que le bac, cet extraordinaire pont flottant de ferraille qui glissait en grinçant deux fois par heure le long de ses chaînes à travers l'estuaire de l'Odet. La construction du gigantesque (et probablement inutile) pont appelé pompeusement pont de Cornouaille, en amont de l'estuaire, a été la cause et l'évidence du changement. Au temps du bac, on ne traversait pas volontiers. C'était lent, bruyant, cela sentait le cambouis et tachait les chaussures. Et pour quoi faire ? Pour aller de l'autre côté de la rivière, à Bénodet, où il n'y avait rien. Où tout le monde se massait en été sur les plages, sur les terrasses de café, dans les campings. De l'autre côté, la modernité était déjà arrivée, et c'était suffisant de l'imaginer de ce côté de la rive, et si on y tenait vraiment, de monter sur le bac avec les camionnettes et les vélos. Ça ne coûtait rien, ça ne rapportait pas grand-chose. Dans mon souvenir, une petite pièce – cent sous aurait dit ma grand-mère. Ou peut-être moins. Ou peut-être rien, pour des gosses de dix ans qui sautaient sur le pont au moment où le bac démarrait. La traversée durait dix minutes, mais les jours de forte marée, ou quand le vent soufflait, le bac tirait sur sa chaîne et dérivait en grinçant dans l'estuaire, secoué par le clapot de la mer et les remous du fleuve. De l'autre côté, c'était un autre monde : Bénodet, en ce temps-là, c'était la ville, le rendez-vous des vacanciers, des campeurs. Passer de Sainte-Marine à Bénodet, c'était franchir une frontière qui séparait la Bretagne oubliée, traditionnelle, un peu arriérée, du pays moderne, avec ses routes, ses hôtels, ses cafés, ses cinémas, et surtout ses plages couvertes de parasols, débordantes de baigneurs. Je ne sais pas si ces choses-là sont importantes pour les enfants. Je ne me souviens pas d'avoir été très intéressé par la modernité, par le bruit et la foule. Mais elles ont dû l'être pour les adultes puisqu'ils ont décidé un jour que le vieux bac rouillé et le long détour par les quais de Quimper ne suffisaient plus et qu'il fallait construire un pont pour laisser passer les voitures et les touristes.

Le pont de Cornouaille est magnifique. Je ne l'ai pas vu se construire – à cette époque nous avions déjà cessé d'aller en Bretagne. Le trajet depuis Nice était trop long pour la vieille voiture et mon père avait sans doute envie de voir autre chose. Et nous-mêmes nous avions grandi, mon frère et moi, nous préférions les mois d'été dans la touffeur de Nice, ou bien aller dans le sud de l'Angleterre, à Hastings, à Brighton, pour découvrir les *milk bars* et les filles.

Des années plus tard, je suis revenu, et j'ai emprunté le pont. Pour le réaliser on a tracé un réseau de routes à trois ou quatre voies, des ronds-points, des bretelles. Le pont à cette époque était payant dans un sens, gratuit dans l'autre (ce qui était notoirement contraire à tous les usages en Bretagne). Autrement dit, c'était une entreprise. Les banques avaient dû s'en mêler. Sur le pont, on survole l'embouchure de l'Odet, à la hauteur d'un vol de goéland. J'ai été étonné de voir à quel point la hauteur de cette construction avait rapetissé le paysage.

L'Odet, quand nous y voguions en plate en traînant une ligne, paraissait grand comme l'Amazone, avec le mystère des rives brumeuses, les tourbillons dans l'eau noire, et l'ouverture sur la haute mer, vers les Glénan. C'est devenu, à l'ombre du pont, un bras d'eau tranquille, provincial, étriqué, moucheté de petits bateaux blancs attachés à des corps morts. En quelques années, l'estuaire sauvage s'est transformé en parking à plaisanciers, une sorte d'esplanade d'eau verte encadrée de maisons et d'arbres, une ria. J'ai essayé d'imaginer l'impression que cela pouvait faire à deux gosses occupés à godiller entre les jambes du pont, sous le grondement répétitif des autos en train de franchir l'estuaire à soixante kilomètres à l'heure, à trente-cinq mètres de hauteur. Cela a pris un air urbain, définitif, c'est puissant et inamovible comme un barrage. Je ne suis jamais retourné sur le pont.

Si j'essaie de reconstituer la Sainte-Marine de mon enfance, c'est d'abord la rue qui m'apparaît, cette très longue rue de terre graveleuse qui partait de l'entrée du village, près de l'école, et conduisait jusqu'à la pointe, avec, de chaque côté, les maisons alignées. Cela devait me paraître normal, mais c'était déjà un habitat composé, métis je voudrais dire. Alternance de maisons bretonnes, la plupart pauvres, bâties en pierres mais crépies de ciment gris, avec leurs volets rustiques, les portes basses parfois décorées de linteaux, les toitures d'ardoise moussue avec les chaînons de faîtage visibles, les cheminées de brique. Certaines si pauvres et si anciennes qu'elles avaient toujours leurs murs de granite, leurs fenêtres étroites et leurs toits de chaume. Elles protégeaient à l'arrière des jardinets plantés d'ail et d'oignons, des haricots, des patates. Et, au beau milieu de tout cela, arrogantes et prétentieuses, les villas des « Parisiens » avec de grands parcs donnant sur les rives de l'Odet, cernées de hauts murs de pierre qui laissaient apercevoir les pignons et les tours, et de lourds portails de fer forgé peints en vert sombre, ouverts sur des allées de gravillon blanc, avec plates-bandes fleuries, massifs d'hortensias bleus, buissons de camélias.

Ce qui faisait de Sainte-Marine un village à part, c'était l'absence de commerces, sans doute par défaut plutôt que par goût du luxe (quoi de plus luxueux aujourd'hui qu'une rue sans boutiques ?), parce que de fait chacune de ces maisons modestes était un endroit où on pouvait acheter, selon l'occasion, un poisson, des crevettes, un crabe, ou simplement quelques légumes terreux arrachés au jardin. L'unique boutique digne de ce nom, c'était un magasin à tout vendre, qui appartenait à la ferme Biger (de Poulopris). On y entrait de plain-pied, juste en poussant la porte munie d'une sonnette aigrelette, et on achetait ce qu'on trouvait : des conserves (du lait condensé, des sardines en boîte, des petits pois), du vin au litre (du vin d'Algérie qui portait le nom étrange d'Allah Allah, ce qui alors ne choquait personne), des légumes secs en vrac, et des choses aussi indispensables que des rouleaux de papier hygiénique, des allumettes (et des cigarettes), et surtout, ce qui m'émerveillait, de la confiture gélifiée vendue à la louche, dont je n'ai pas oublié le goût, même si je suis incapable de dire s'il était de la pomme, du raisin ou du coing. La boutique Biger était aussi l'unique dépôt de pain, des miches définitivement industrielles fabriquées à Quimper, toujours dures et rassies à tel point que les gosses chargés de les ramener à la maison s'en servaient comme de tabourets pour se reposer le long du chemin. Mes parents en achetaient rarement, ayant décidé une fois pour toutes qu'il valait mieux manger des crêpes que cet affreux pain trop blanc.

L'un des points névralgiques de Sainte-Marine, non loin de la maison Biger, c'était la pompe communale. Elle était chargée officiellement de fournir l'eau potable aux habitants. Chaque maison, chaque ferme était pourvue d'un puits ou d'un réservoir à eau de pluie en pleine terre, mais le voisinage du purin et des fosses septiques rendait l'eau dangereuse à consommer. L'eau des gouttières alimentait aussi des bassins, mais les toitures imprégnées d'embruns donnaient une eau saumâtre, tout juste bonne à se laver, ou à laver le linge. Les champs alentour avaient commencé à être copieusement arrosés de produits chimiques pour lutter contre l'invasion des parasites, notamment les doryphores dont il sera question plus loin. Les fermes d'élevage de poules et de porcs n'avaient pas la dimension qu'elles ont aujourd'hui – dans certains endroits, ce sont des poulaillers de deux cent mille poules ! – mais leurs déjections avaient commencé à élever le taux de nitrates. Nous n'avions pas atteint les niveaux de pollution actuels, mais on s'en approchait. Du reste, il n'existait pas encore d'eau en bouteille – sauf peut-être pour les nourrissons, et cette autre engeance délicate venue passer les vacances et qui devait en apporter des cargaisons dans ses autos. On ne trouvait ni filtres, ni réglementation officielle affichée au-dessus de la pompe.

L'unique source d'eau potable était donc cette pompe à bras, au bord de la route, qui puisait l'eau dans un puits profond relativement préservé. C'était notre tâche, à nous les enfants, et à tous les enfants du village, d'aller deux fois par jour chercher l'eau à la pompe. Lorsque je suis retourné visiter Sainte-Marine, dix ans plus tard, j'ai constaté que la pompe était toujours là, mais hors d'usage, verrouillée, peinte en vert pomme. Devenue un objet décoratif, une sorte de fétiche du temps jadis, pour les nostalgiques, au même titre que les rouages des chaînes du bac ou les bornes kilométriques. Ornée de bouquets de fleurs, comme une vieille brouette dans un jardin.

Du temps de mon enfance, la pompe servait, et comme tout ce qui sert elle n'avait pas de couleur, elle était du gris sombre de la fonte, marquée par la rouille à certains endroits, tachée de graisse autour du piston. Le bras était poli par toutes les mains qui la manœuvraient. Elle grinçait quand on l'actionnait, avec un certain délai elle rejetait un mince filet d'eau froide intermittent qui remplissait lentement les brocs. Quand le broc était plein à ras bord – il s'agissait de ces grands brocs en zinc ou en métal émaillé bleu qui contenaient cinq ou six litres – il fallait le ramener à la maison. Nous marchions lentement, le bras tendu pour éviter les cahots, à tour de rôle, avec des arrêts fréquents pour calmer la brûlure des tendons du poignet et du coude. Entre la pompe et Ker Huel (la maison de vacances que louaient nos parents à Mme Hélias), il ne devait pas y avoir un kilomètre, mais peu de trajets m'ont paru aussi longs ! Cette eau précieuse, mon père la mettait à bouillir sur le réchaud à butane, dans une grande casserole émaillée qui ne servait qu'à cela, et l'évaporation diminuait la provision d'eau et nous rapprochait du voyage vers la pompe. On dit souvent que la corvée d'eau est une activité distrayante dans la vie des enfants du village, que le point d'eau bruisse du rire des filles et des cris des garçons. Ce n'est pas exactement le souvenir que j'en ai. Je me souviens plutôt de l'interminable chemin entre les maisons, sous le soleil, et de la colonne des gosses en train de rapporter les brocs, un peu penchés de côté pour faire contrepoids, et des clapots de l'eau précieuse qui jaillissait des brocs. Mais en fin de compte c'était une activité plutôt agréable, car cela donnait aux enfants, j'imagine, le sentiment d'être utiles. Aujourd'hui, bien sûr, c'est plus simple de tourner le robinet, à la cuisine, ou à la salle de bains, et de regarder l'eau couler. Mais encore à présent, je ne peux m'empêcher de veiller à ce que les robinets soient bien fermés, pour ne pas laisser perdre une goutte du précieux liquide.

Les gosses de Sainte-Marine (dont nous faisions partie), c'étaient pour la plupart les fils et les filles des pêcheurs qui peuplaient le village. Il y avait bien quelques étrangers, dans les belles villas des bords de l'Odet, mais nous ne les apercevions que rarement, à la chapelle les jours de messe. Ils nous semblaient curieux, c'est-à-dire très différents des enfants bretons. Les étrangers, nous les guettions parfois à travers les haies, ou bien en nous haussant devant les portails, des groupes de garçons et de filles bien habillés, qui jouaient au mouchoir, ou au croquet, des jeux qui nous semblaient puérils, mais qui avaient l'air tout de même de bien les amuser. La maison qui m'attirait particulièrement, c'était la maison des filles, au Moguer, sur la route du cap. Au bord de l'Odet, au milieu d'un grand parc d'arbres majestueux, c'était une belle grande villa à étages, avec un toit pointu en ardoises, des lucarnes, des pignons, des sortes de tourelles, et surtout un portail en fer forgé festonné sur lequel je grimpais pour apercevoir le jardin, non pas un champ d'oignons et de pommiers, mais un vrai grand jardin avec allées de gravier et plates-bandes, et derrière la maison, à travers les bosquets de pins, la rivière qui scintillait. Mais ce qui m'attirait, c'était moins le jardin – bien qu'il eût quelque chose de magique et de grandiose qui le rendait si différent du reste du village – que la présence des filles. Cinq ou six filles – et j'appris alors qu'elles étaient les filles d'un des hommes les plus renommés de cette époque, le grand chef des Scouts de France – et pour ajouter à la légende, au mystère, peut-être à l'irritation, toutes étaient grandes, sveltes et blondes, la plus âgée devait avoir dix-huit ans et la plus jeune huit ou neuf ans. Je les observais à travers les festons du portail, je suivais leurs jeux, leurs courses dans le parc, j'écoutais leurs voix mélodieuses, je détaillais leurs robes claires, leurs chapeaux de paille, leurs foulards, leurs sandales, comme si elles sortaient d'un rêve. Je n'ai revu cela que bien plus tard, au cinéma, dans *Les Fraises sauvages* de Bergman – à la différence près qu'un souvenir volé à travers les interstices d'une porte a une force autrement plus réelle et durable que les images d'un film.

Les gosses du village que nous fréquentions, on les trouvait plutôt à l'embarcadère, assis sur les murets à regarder le mouvement des camionnettes et des piétons qui grimpaient à bord du bac, en faisant claquer une lourde pièce de métal qui servait de coupée. Ou bien nous les rejoignions sur les plates amarrées au quai, sautant d'une barque à l'autre. C'était le lieu des rendez-vous. Ils s'interpellaient en breton, ils blaguaient. Nous, nous étions *ar Parizianer*, donc objets de moqueries, mais somme toute plutôt moins moqués que nous l'étions dans le Sud, peut-être parce que malgré tout nous leur ressemblions, et que nous étions capables de rétorquer quelques mots dans leur langue. Cette génération-là était encore née dans la langue bretonne, et même si à l'école publique on leur interdisait de parler « patois » – c'est comme cela qu'on appelait le breton à l'époque – l'été célébrait la liberté de la langue. C'était une langue pour être dehors, pour crier, pour jurer, pour s'injurier. L'autre langue, celle des *Parizianer*, ils avaient trois longs mois pour l'oublier, pour la laisser dans un coin, dans le sac d'école avec les bouquins et les cahiers usagés.

Ils parlaient tous breton, comme leurs parents et leurs grands-parents. Ensuite, en grandissant, ils ont perdu l'usage de la langue, non parce qu'ils l'oubliaient, mais parce que c'était leur langue d'enfance, la langue d'avant, quand on n'a pas besoin de gagner sa vie ni de réussir ses études. Je me souviens d'eux tous, Yanik, Mikel, Pierrik, Ifik, Paol, Erwan, Fanch, Soizik, leurs diminutifs, leurs accents, leurs gestes, comme s'ils étaient les derniers de leur lignée, nés dans un autre monde, aujourd'hui transformés, devenus médecins, avocats, marins de la marchande, commandants de port ou pilotes, et les filles devenues mères de famille ou grand-mères, et qui ont à un certain moment de leur vie décidé d'arrêter de parler leur langue pour devenir français.

Pourquoi ? Pourquoi n'ont-ils pas résisté ? Pourquoi ont-ils cru que la langue bretonne les rejetait dans une catégorie inférieure, les condamnerait à la misère ou à l'ignorance ? Ceux de mon âge (ces garçons et ces filles avec qui nous jouions et nous interpellions en breton) se souviennent qu'on était puni à l'école si on parlait cette langue, même pendant la récréation. C'étaient les directives de l'Éducation nationale, qui étaient appliquées par des maîtres qui eux-mêmes parlaient le breton. Le français était la langue de la République. Cela n'a pas changé, de récentes déclarations du gouvernement ont affirmé la même hostilité à l'égard des autres langues régionales, le corse, l'alsacien, l'occitan (la langue créole, la plus parlée des langues régionales, n'est même pas mentionnée dans la future charte). Ce furent les mêmes directives qui contraignirent le clergé bas-breton à abandonner la langue bretonne pour la liturgie et les sermons. Dans les années 60, la succession des générations a naturellement remplacé les vieux « recteurs » – comme le *person* qui officiait à Sainte-Marine et à Combrit, dont nous avons été enfants de chœur – par des prêtres plus jeunes, vêtus de vert, qui célébraient la messe en français. Évidemment, ils étaient plus décoratifs que le vieux curé affligé d'un rhume permanent qui interrompait ses homélies pour tirer son mouchoir de sa manche et souffler bruyamment.

Pourtant, tout cela fut le symptôme du changement, et non pas la cause. La vraie cause de l'abandon de la langue bretonne, ce sont les Bretons eux-mêmes qui en portent la responsabilité. Cela fut, à cette époque, comme un vent violent qui a balayé toute la Bretagne et a bouleversé de fond en comble les institutions, confondant l'attrait pour la modernité avec la honte des origines, identifiant l'héritage ancestral à la crainte de l'arriération, redoutant la pauvreté abjecte dans laquelle, depuis des siècles, les ruraux avaient parfois survécu, et que l'État, craignant les failles identitaires, avait maintenue. (Ce n'est pas pour rien que Gauguin est allé s'installer à Pont-Aven, où il décrit les Bretons et les petites Bretonnes comme cinq ans plus tard il décrira les Tahitiens.)

La génération qui a renoncé à sa langue maternelle (cette langue qu'on parlait en Basse Bretagne à la naissance et dans laquelle on grandissait) fut souvent celle qui se retrouva aux premières lignes des conflits, en particulier dans la dernière expédition coloniale imposée aux ruraux, la guerre d'Algérie. On avait besoin de rustres pour faire les sales boulots, les *corvées de bois* : ce furent les Bretons et les Alsaciens.

Ce changement est sans doute pour moi le plus surprenant de tous. Les améliorations techniques, le remembrement des parcelles, la disparition des talus et des chemins creux, l'acculturation et l'effacement des marqueurs d'identité des minorités culturelles (majoritaires dans cette région de la Bretagne) – costumes, coiffes, style de vie, fêtes ou festins –, tout cela était normal, je ne l'ai même pas vraiment remarqué. Mais qu'en l'espace non pas d'une génération, mais d'une dizaine d'années (entre mes quinze ans et mes vingt-cinq ans), la musique de la langue bretonne ait cessé de résonner partout où naguère je l'avais entendue – dans la bouche des petits enfants, sur la place publique, sur les barques des pêcheurs, à l'église, au café, sur les marchés –, c'était pour moi incompréhensible, incompréhensible et angoissant, comme si d'un coup de baguette magique, on avait remplacé la population par une autre. Les villages, les maisons, les chapelles étaient restés, mais quelque chose semblait avoir disparu à jamais.

Peut-être accordé-je trop d'importance à la langue ? Après tout, je ne l'ai pas parlée moi-même, et le peu que j'en savais dans mon enfance s'est effacé. La naissance des écoles Diwan (le germe, en breton) coïncide avec l'amuïssement du breton originel dans les familles rurales. Il se peut que tout ne soit pas joué. Aujourd'hui j'écoute la radio en breton diffusée sur tout le territoire, avec parfois l'impression que les locuteurs parlent en français, tellement les sons se sont éloignés du chant vernaculaire, des diphtongues, des voyelles vélaires et des consonnes chuintantes que j'entendais autrefois. L'arrivée sur la scène des chanteurs bretons, non plus seulement les héritiers directs du folklore comme les frères Morvan et les sœurs Goadec, mais surtout les nouveaux venus, comme Alan Stivell (la Source, en breton), Dan Ar Braz (le Grand) ou L'Héritage des Celtes, avec leur sonorité qui mélange le rock et le *kan ha diskan* (chant et contre-chant), est sans doute la promesse que la langue survivra, qu'on a peut-être dépassé définitivement la censure des jacobins. La fondation des grands festivals, à Quimper, à Lorient, est l'occasion d'une communion à travers le passé celtique où la nostalgie tient un rôle majeur. La musique n'est pas tout à fait semblable au langage, et je peux ressentir le même frisson en écoutant les accents des bagads de binious ou de cornemuses écossaises que je ressentais quand un sonneur laissait porter les sons de cette musique sur la lande, certains soirs, dans la brume. Mes souvenirs se mêlent à cette émotion et me font retrouver, un instant, le temps à la fois si bref et si long de l'enfance. Mais il ne faut pas oublier le mal considérable qui fut causé par les théories fumeuses d'Olier Mordrel et de Roparz Hemon pendant la dernière guerre, militant pour une alliance avec l'Allemagne de Hitler en vue de l'indépendance de la Bretagne. Les paysans bretons ont payé un lourd tribut à l'Occupation, ils n'ont probablement pas pardonné cette alliance contre leur nature. Quant au mot « celte », ne pas oublier non plus que, à la suite de cette collaboration honteuse, entachée de racisme et de xénophobie, il est devenu une insulte pour la seule nation indépendante du monde celtique, l'Irlande.

Sur le quai, autour du bac, c'était le lieu de rendez-vous des gosses. Nous venions là tous les jours, quel que soit le temps, plutôt en début d'après-midi, aussitôt après déjeuner, comme des ouvriers en quête d'embauche. C'était dans l'idée d'embarquer sur une plate pour aller pêcher dans l'estuaire. Presque tous, du moins je le croyais, étaient fils et filles de pêcheurs. Nous avions appris à godiller, les clefs d'amarre, les gestes de la pêche. À la boutique Biger nous avions acheté vingt mètres de ligne, le « catgut », en réalité du plastique transparent, des plombs, des hameçons. Pour les flotteurs, nous utilisions des bouchons de liège. Nous lancions la ligne, puis nous la retirions doucement, attentifs aux petites secousses qui chatouillaient l'hameçon. Je crois qu'à ce moment-là rien ne me paraissait plus délicieux que ces petites touches au bout de la ligne, à l'aveuglette, quand les poissons mordaient à l'appât. C'était un jeu, mais aussi plus qu'un jeu, quelque chose de vivant qui répondait, loin au bout de la ligne, à dix mètres de profondeur dans l'eau sombre de la rivière. Les petites secousses remontaient jusqu'au creux de nos doigts, comme un message, un frisson. La plupart du temps nous ramenions l'hameçon dépouillé de son appât, et il fallait réamorcer avec la « bouette ». L'appât, c'étaient des vers de vase que nous déterrions du sable des grèves, et mettions dans une boîte de conserve vide. Il nous avait fallu un certain temps pour apprendre à enfiler le ver par la tête jusqu'au nœud de l'hameçon. Parfois la ligne se prenait au fond, dans des touffes d'algues ou des cailloux, et il fallait attacher un nouvel hameçon en faisant une sorte d'épissure. Nous avons participé à ces expéditions de pêche avec la plupart des gosses, Jean surtout, le fils de Raymond Javry. Par lui, nous avions accès à la plate de son grand-père, le vieux Cadoré, un pêcheur du temps jadis, qui ne parlait que le breton et parfois nous accompagnait. Les prises, c'étaient pour la plupart des gobies, hérissés et gluants, qu'on rejetait à l'eau, mais de temps à autre nous ramenions un « brezel », un maquereau bleu, splendide et brillant. Aujourd'hui, il n'y a plus guère de gosses. Parfois des enfants en vacances, debout dans l'eau sur la grève, un ridicule filet à crevettes à la main.

L'homme que nous avons admiré en ce temps-là, sans vraiment le connaître, c'était Raymond Javry. Tout le monde disait de lui qu'il était le meilleur pêcheur du village, parce qu'il n'avait pas peur du gros temps et sortait chaque jour relever ses casiers de crevettes et de homards. Ses mains étaient dures, la peau de son visage rouge et marquée de rides profondes. Quand Raymond ne pêchait pas, il peignait. Des tableaux naïfs, des marines, des paysages, souvent d'après des cartes postales. Sa femme Catherine nous invitait quelquefois chez elle, pour montrer ses nouveaux tableaux. Longtemps après, alors que j'avais cessé de venir à Sainte-Marine pour l'été, j'appris par un beau livre écrit par sa fille Roselyne que Raymond Javry avait passé une grande partie de sa vie à voyager en mer, comme capitaine du yacht la *Linotte III* appartenant à Gwenn-Aël Bolloré et qu'il connaissait tous les océans, jusqu'à l'Amérique et à Tahiti. Il n'en parlait à personne, il ne s'en vantait pas. Lorsqu'il ne naviguait pas, il reprenait tout naturellement sa vie de pêcheur. Il représentait l'héroïsme simple et vrai des marins et des pêcheurs de cette époque, leur esprit d'indépendance, leur dédain de l'industrie et des mareyeurs, vivant du travail de leurs mains. Ils étaient les symboles vivants de cette époque, sans forfanterie, sans revendications inutiles, les derniers représentants de la culture de l'Armor, autonome, authentique.

Qu'en reste-t-il à présent ? Les temps modernes ne sont pas favorables aux indépendants. Sans doute en existe-t-il encore, dans le golfe du Morbihan, ou sur le raz de Sein, qui montent des barques et lancent leurs lignes au milieu des tourbillons et des bourrasques. Ils sont devenus l'exception. Le temps dont je parle, lorsque j'avais dix ans, était le temps où beaucoup d'hommes, à Sainte-Marine, Saint-Guénolé, à Loctudy, au Guilvinec, vivaient cette vie. C'était un temps de courage et de force de caractère qui unissait tous les lieux de la côte.

Comment cette époque-là a-t-elle disparu ? En si peu de temps (entre les années 50 et 70) quelque chose s'est figé, s'est retiré, s'est évanoui, ne laissant plus que quelques traces, des carcasses de bateaux en bois, des restes de filets et, sur les plages, les boules de verre qui servaient de flotteurs.

On parle bien sûr de la grande crise de la pêche de 80, qui a touché tout le littoral, lorsque les lois européennes élaborées par des technocrates ont mis à mal l'ancien mode de vie et que les pêcheurs bretons ont été invités à abandonner leurs navires pour devenir des ouvriers au service des conserveries, et que les ports autrefois si actifs sont devenus des entrepôts, puis se sont endormis. Les pêcheurs ont bien tenté de résister, ils ont marché ensemble en 91 jusqu'au parlement de Bretagne, à Rennes, ils ont lutté contre les troupes de gendarmes et de CRS envoyées de Paris – le parlement a même brûlé cette année-là, comme au temps de la Révolution. Mais ils ont disparu, pour la plupart, et les poissons pêchés de façon industrielle par les chalutiers ont disparu eux aussi.

Mme Le Dour

La femme dont je garde le souvenir attendri, c'était la fermière chez qui nous allions chercher le lait chaque jour, Mme Le Dour. Elle vivait dans une petite ferme à l'ancienne, murs de granite et toit de chaume, à la limite de Kergaradec, non loin de la mer. Je n'ai jamais su son prénom, ni son nom de jeune fille. On disait Mme Le Dour, c'est tout. Elle parlait cette langue chantante du pays bigouden, en breton et en français. Mon frère, qui s'intéressait depuis tout petit aux langues, avait appris avec elle le breton de la région – plus tard il découvrit que son dialecte était si ancien que peu de gens pouvaient le comprendre. Que disait-elle ? Comme tous les Bretons, elle s'intéressait au temps qu'il faisait, au temps qu'il ferait. En l'écoutant, j'ai retenu ces mots qui parlent de la pluie et des nuages, *glav, glao, glaobil, glao stank, glao sil,* pluie à verse, pluie fine, *glaoier, ailhenn, ibistrenn,* le crachin… Les phrases toutes faites comme des proverbes, *Glav a ra abaoe derc'hent dec'h* : « La pluie n'arrête pas depuis avant-hier », et quand elle parlait du brouillard, son vocabulaire était aussi riche, *al latar, lusenn, listen, ar koubreg, brumen a raio en noz,* une fumée qui monte de la mer et coupe la tête aux pins…

Aller chercher le lait chez Mme Le Dour, c'était un prétexte. Bien sûr il était meilleur que le lait servi du bidon chez Biger, dont tout le monde savait qu'il était mouillé. Nous aimions bien aller chaque soir, avant la tombée du jour, à travers la lande jusqu'à cette petite maison isolée au milieu des ajoncs, contre les dunes, qui ressemblait à une maison de fées. Quand nous arrivions, avant même d'entrer dans la grande pièce, nous sentions l'odeur chaude des vaches – en hiver, une fenêtre percée dans le mur de la maison laissait venir la chaleur de l'étable. Nous entrions en écarquillant les yeux parce qu'il n'y avait pas de lampe, seulement un quinquet à pétrole qu'elle allumait le soir, et dans la pénombre les choses luisaient étrangement, la lourde table de bois, les tabourets, les marmites, et contre le mur du fond près de l'âtre, les deux lits-clos cloutés de cuivre, l'un pour Mme Le Dour et son mari, l'autre pour leurs deux filles adoptives. Le sol était en terre battue, le plafond était barré de solives noircies par la fumée, entre lesquelles on voyait l'envers des bottes de chaume de la toiture. Pour nous qui avions passé une partie de notre enfance en Afrique, au Nigeria, cela ne nous paraissait pas rudimentaire, mais ici en Bretagne, cela donnait un charme presque magique de l'ancien temps, comme si cela sortait d'un conte de Perrault illustré par Doré. « Pauvreté » ne serait pas le mot juste, c'était le sentiment d'un lieu hors du temps, oublié du monde moderne. Oui, comme d'entrer dans un dessin.

Mme Le Dour était une femme trapue et solide, toujours vêtue de noir et portant tablier, mais elle ne mettait jamais le costume et à son chignon, au lieu de l'extravagant chapeau de dentelle, elle avait juste un petit nœud de velours noir à l'ancienne. Elle était chaussée de sabots qu'elle laissait à l'entrée, gardant des chaussons de feutre. Nous n'avions jamais vu son mari à la maison. C'était un travailleur agricole, toujours vêtu d'habits usés, souliers éculés et boueux, une casquette irlandaise sur la tête, un homme plutôt fluet mais qui devenait violent quand il avait bu. Lui ne parlait pas un mot de français. Plusieurs fois, nous l'avons vu allongé dans la terre devant la maison, dormant d'un sommeil d'ivrogne et nous avons dû l'enjamber. Il ne nous a jamais adressé la parole. Il nous regardait avec méfiance, nous étions les deux seuls enfants étrangers à entrer chez lui.

Les Le Dour, on ne les voyait jamais à la messe. Sans doute étaient-ils de ces communistes comme il y en avait beaucoup à l'époque. C'était la vieille tradition révolutionnaire, héritée des jacqueries et de la chouannerie. Dans cette région, à la fin du Moyen Âge, les paysans avaient branché tous leurs seigneurs, et la révolte des Bonnets rouges au XVIIe siècle avait donné lieu à une répression sanglante du pouvoir royal dans la Bigoudénie. Je me souviens que mon grand-père, Mauricien installé à Paris et venant passer des vacances, avait été pris à partie par des ouvriers sur le port de Douarnenez, qui l'avaient insulté et avaient craché sur lui. C'était un homme élégant, un docteur, et ils l'avaient pris pour un patron.

Dans la maison des Le Dour, il y avait deux gamines,

à peu près de notre âge, dix, douze ans. La plus jeune, Jeannette, maigre et noire, l'autre, Maryse, plus grande et plus forte, avec un joli visage régulier et de beaux cheveux coiffés en chignon. C'étaient les filles adoptives des Le Dour, peut-être confiées par l'Assistance au couple de fermiers. Chaque été nous les retrouvions, et j'avais l'impression qu'elles ne changeaient pas. Elles avaient déjà un air de maturité, et ne participaient jamais aux jeux des autres gosses de Sainte-Marine. Elles acceptaient pourtant de marcher avec nous. Elles parlaient bien le français, sauf pour faire des apartés, pour se moquer de nous en ricanant. C'était une relation plutôt bizarre. Elles étaient deux pauvresses, des filles abandonnées, recueillies par une famille de paysans, et nous, nous étions deux garçons étrangers, des touristes, des *Parizianer*, plutôt immatures et gâtés par la vie. J'imagine que pour elles, ces deux garçons en vacances représentaient tout ce qu'elles n'avaient pas, de l'argent (même si cela se résumait à quelques francs pour acheter des bonbons à la boutique de Mme Hélias), des habits neufs, et surtout de vrais parents, cette assurance d'une supériorité infaillible que nous avions sur elles.

Nous ne jouions pas ensemble, nous ne nous parlions pas vraiment. C'était comme si elles avaient grandi dans un autre monde, où les enfants ne rient pas, ne s'amusent pas, mais apprennent très tôt à travailler dans les champs et à la maison. Leurs mains étaient déjà calleuses d'avoir bêché et lavé du linge. Nous aurions pu apprendre le breton à leur contact, comme avec les gosses de la cale, mais sans doute leur avait-on interdit de nous parler dans cette langue, et qu'au contraire on leur avait enjoint d'améliorer leur français et d'apprendre les bonnes manières.

Mais sur ce point nous n'étions pas de bons professeurs. Nous allions jusqu'à la plage, les jours de beau temps, pour nous baigner. Elles restaient habillées, assises dans le sable à nous regarder. Il est probable qu'elles ne savaient pas nager, et qu'elles n'avaient pas de maillots de bain. Si elles approchaient du rivage, nous les arrosions. C'était devenu une sorte de jeu mélangé de méchanceté. Les filles couraient pieds nus dans la mer et nous leur jetions de l'eau froide pour les faire crier. Mais elles ne criaient pas. Elles revenaient et nous les arrosions encore. Puis le jeu est devenu plus violent, même cruel. J'ai éprouvé alors un curieux sentiment de plaisir et de honte mêlés. Les deux filles s'asseyaient en haut de la plage, à l'abri des cabines de bain, et nous leur jetions des poignées de sable jusqu'à recouvrir leurs épaules et leurs têtes. Elles ne cherchaient pas à s'échapper, elles se courbaient, les bras autour des genoux, leurs visages enfouis dans leurs mains pour protéger leurs yeux et leurs bouches.

Cela devait bien leur plaire un peu quand même, parce qu'elles y revenaient chaque samedi et dimanche, quand le travail à la ferme le leur permettait. Chaque été, nous les retrouvions. C'étaient comme de petites amies avant l'heure, nos souffre-douleur et nos copines. D'elles, je garde un souvenir incertain, Jeannette avec ses yeux très bleus, sa tignasse frisée de gitane, ses épaules maigres, et la plus grande, Maryse (des prénoms qui n'avaient rien de bourgeois, rien à voir avec les Agnès, Chantal, Camille des familles amies de ma mère à Loctudy, filles de commerçants ou de dentistes), avec son beau visage lisse, son corps massif, déjà quelque chose d'une femme de la terre. Après la plage, nous raccompagnions les filles jusqu'à la ferme, Mme Le Dour avait préparé un goûter de crêpes – non pas les crêpes fines ou les galettes de sarrasin fourrées de choses salées comme on les trouve maintenant, mais de vraies *krampouzen* de froment épaisses et lourdes, sans sucre ni beurre, et les bolées de cidre tiède (le cidre glacé doit être une invention américaine). Comme de toutes les nourritures d'enfance (les gnocchis cuisinés par la bonne Maria chez ma grand-mère, ou le foufou et la soupe de cacahuètes d'Ogoja au Nigeria), j'ai gardé le goût de ces crêpes, l'épaisseur chaude, le tanin du cidre dans les bols de grès, quelque chose de doux et de sauvage à la fois, dans la pénombre enfumée de la ferme, avec l'odeur des vaches, la lueur du jour par la porte ouverte, les reflets du quinquet sur la vaisselle des étagères et sur les clous des lits-clos formant des losanges et des rosaces, et aussi le rire niais des deux filles qui les vengeait de la violence des arrosages et des poignées de sable dans leurs cheveux.

War an hent

Nous allions par les chemins creux, avec nos vélos archaïques lourds comme des draisiennes, loués chaque été chez le garagiste Conan de Combrit. Les chemins creux partaient à travers champs et bosquets, enfoncés entre deux hauts talus (*ar kleuziou*, notre nom de famille) couverts de fougères et d'ajoncs. Parfois, un temps d'avance, nous sentions la terre du chemin vibrer sous nos pneus, et nous lâchions les vélos pour escalader les talus et laisser passer un troupeau de vaches au trot, cornes en avant, prêtes à nous piétiner. Mais elles n'étaient pas stupides, elles évitaient de marcher sur les vélos.

Entre Sainte-Marine et Combrit, en allant vers Pont-l'Abbé, c'était un réseau de chemins pour aller à l'aventure, à travers les bois de pins ou les pâtures. Ils joignaient les hameaux et les fermes isolées. Le « remembrement » n'avait pas encore commencé. Ce bouleversement causa la fortune des gros fermiers et la disparition des petits paysans, et transforma en quelques années l'économie poussive en ce qu'on appelle aujourd'hui l'« agroalimentaire ». Il est facile pour les touristes et les vacanciers de le déplorer, mais ce fut la fin de la misère noire pour beaucoup de ruraux. Aujourd'hui encore, on parle volontiers de ces puits dans lesquels, à la fin de leur vie, les vieux cultivateurs se jetaient pour ne pas être enfermés à l'hospice des miséreux. Les petites fermes de granite et de chaume devinrent des résidences secondaires, et les enfants qui y avaient grandi s'expatrièrent vers Paris, pour travailler à l'usine.

Non, il ne faut pas regretter le temps de la paysannerie traditionnelle bretonne, même si cette mémoire laisse un goût doux-amer de ce qui ne pourra plus jamais revenir : les toits de chaume si bellement tressés, les poutres sculptées à l'herminette, les bois flottés récupérés pour les voliges, la terre battue mêlée au sang de mouton pour les sols durs et brillants comme le porphyre, les cheminées monumentales, et tous ces meubles extraordinaires, venus du fond des âges, armoires, lits-clos, tables, bancs, coffres de mariage, et la vaisselle de grès brun accrochée aux clous des vaisseliers, les marmites noires de suie, la *bilig* pour les galettes, la casserole pour le *youd*, le porridge d'avoine commun aux Bretons, aux Écossais et aux Gallois. Les fermes d'aujourd'hui n'ont plus rien à voir avec ces restes naufragés. Les tables en contreplaqué ont remplacé les monuments de chêne poli – on prétend même qu'à une époque les démarcheurs réussissaient à échanger les pièces de musée contre du mobilier de pacotille en baratinant les fermiers naïfs – et le confort moderne s'est généralisé. Seuls, parfois, comme un souvenir obstiné, une vieille pendule, une cuiller de mariage ou un coffre sculpté émergent de la modernité, pour rappeler la vie d'autrefois.

Les chemins creux nous menaient jusqu'au bord de l'Odet, dans des bois qui semblaient n'appartenir à personne, habités par les sangliers et les chevreuils, les renards, les blaireaux. Au cours d'une randonnée je recueillis une jeune gerboise, que je mis dans la poche de ma veste. Elle dormit toute la journée dans une boîte de carton posée sur ma table, mais la nuit elle s'activa et finit par tomber de la table et se casser le cou.

La seule vraie route, c'était la départementale qui allait jusqu'à Pont-l'Abbé et bifurquait vers la nationale de Quimper. C'était à cette époque une route très étroite, qui sinuait au gré des obstacles, semée d'embûches et de nids-de-poule. Elle n'était pas très fréquentée, seulement par quelques camionnettes et des autobus qui peinaient dans les côtes. Nous poussions nos vélos quand ça montait trop, puis nous dévalions à toute vitesse la longue descente qui menait à Pont-l'Abbé et à l'église de Lambour. Quel enfant pourrait faire cela aujourd'hui, sans risquer sa vie ? Les routes du pays bigouden sont devenues pour une grande part des nationales où les véhicules foncent à cent à l'heure, se dépassent sans visibilité, dans une sorte de rage mécanique.

Quand nous arrivions au bas de la pente, nous guettions la première trace de civilisation (je veux dire du bourg de Pont-l'Abbé), un grand vilain garage Renault peint en blanc et rouge. À présent j'aurais du mal à le trouver. Les abords du bourg ont été envahis par les constructions, des magasins, des hangars, des centrales d'achat, tout cela écrit de lettres géantes, entouré de rangs de banderoles et de fanions. Cela me donne l'impression que la ville, en s'étendant, a rapetissé. Au-dessus des toits plats, on chercherait en vain à apercevoir la tour tronquée de l'église. C'est sans doute cela qui a changé le plus dans cette région de France, autrefois si originale. Les espaces sauvages entre les villages ont diminué, ont été construits, les mots et les noms publicitaires sont partout, les panneaux annonçant les supermarchés, les signaux sur les routes, les giratoires, les rocades, les feux de signalisation.

Où sont passés les piétons ? Quand nous traversions Pont-l'Abbé sur nos vélos, les gens marchaient partout. Dans les villages, les rues, les places étaient encombrées de marcheurs. Des vieux, des jeunes, des travailleurs, des mamans qui poussaient leurs landaus, des gosses comme nous, par groupes de cinq ou six le long des rues, sur les chemins, aux carrefours, partout.

C'étaient surtout les bicyclettes. Il n'y en avait sans doute pas autant qu'en Chine, mais on les voyait partout. Pas des vélos électriques, pas des « tout-terrain », ni des mobylettes. Juste des bicyclettes archaïques, pesantes, dépourvues de dérailleurs, peintes en noir brillant, avec porte-bagages chromés ou sacoches en skaï, garde-boue en caoutchouc. Des freins à tige, des dynamos, des catadioptres. Tout le monde allait à bicyclette, les hommes âgés qui avaient du mal à marcher, des femmes en robe noire coiffées de leurs bonnets. Ils allaient sur le bas-côté de la route, ils transportaient des paniers de légumes, des cageots, des sacs de linge. Quand la côte était trop raide, ils descendaient et poussaient. Ou bien ils s'asseyaient sur les talus pour fumer et bavarder, les bicyclettes renversées dans l'herbe parce qu'on n'avait pas encore inventé les béquilles. Les antivols n'existaient pas non plus. Devant les magasins, à Pont-l'Abbé, ou à Quimper, nous laissions nos vélos appuyés contre le mur, tout le monde faisait cela. Devant les maisons, à l'entrée des jardins. Il ne serait venu à personne l'idée d'attacher un vélo comme si c'était un cheval ou une vache. On n'attachait pas plus les vélos qu'on n'attachait les barques, celles qu'on tire sur la grève à marée haute. Qui aurait volé un vélo ou une barque, pour aller où ? Je crois bien qu'on ne fermait pas souvent les portes, je ne me souviens pas d'avoir eu une clef dans ma poche.

Le Cosquer

Chaque été, à la mi-août, il y avait une fête au château du Cosquer. Ça semble banal de le dire, mais c'était une fête comme je n'en ai jamais connu ailleurs, une fête de rêve. Le Cosquer (en breton, la vieille demeure) était sur la route de Combrit, caché au milieu d'un bois de pins, au centre d'une pâture. C'était un château de contes de fées, une sorte de fantaisie blanche dans le style médiéval cher à Viollet-le-Duc, ornée de tourelles à chapeaux pointus et de tours crénelées, décorée de stucs et de frises, montrant une série de fenêtres et de lucarnes, avec une seule porte à chambranle en haut d'un escalier bordé de rampes de pierre incurvées. Un château surchargé, maniéré, irréel, pareil au fantôme des demeures jadis brûlées par les manants et les révolutionnaires. Sa propriétaire était elle aussi une survivante de l'ancien temps, la marquise de Mortemart, la descendante d'une famille qui remontait aux croisades, disait-on (son nom rappelait la mer salée de la Bible et le royaume de Jérusalem).

Hormis le jour de la fête, on ne pouvait pas accéder

au château. On le voyait de loin, à travers les troncs des arbres, un mirage blanc dans l'ombre des bois. Mais ce jour-là du mois d'août, dans la chaleur de l'été, la marquise ouvrait la porte de son domaine et la population du voisinage pouvait entrer, les pêcheurs et les paysans des environs, les touristes comme nous, les bonnes sœurs en cornette. Sur le pré étaient organisés des tombolas, des jeux pour les enfants, des goûters, des courses en sac, des concours de lutte bretonne, et la musique des bagads.

La marquise ne se montrait pas. Trop âgée, peut-être, elle restait à l'intérieur du château, tandis que la fête se déroulait sous ses fenêtres. J'ai le souvenir confus de l'avoir entraperçue à la fenêtre du premier étage, au-dessus de la porte, une silhouette blanche et frêle.

Elle était respectée de tout le voisinage, la légende racontait qu'elle s'était opposée à l'armée allemande qui avait réquisitionné son château pendant la guerre, pour y loger ses officiers. Elle avait tenu tête à la Kommandantur, et avait préféré quitter le château et loger chez une parente à Quimper plutôt que de le partager avec les envahisseurs. Refuser de vivre avec les vainqueurs, c'était le seul héroïsme que pouvait montrer une vieille dame, et les gens de Combrit lui en savaient gré.

Pour rien au monde nous n'aurions manqué cette fête de l'été. Parfois les orages d'août y mettaient fin vers le soir. Les champs alentour avaient été fauchés et la chaleur de la paille nous enivrait, nous transportait. Nous courions avec les gosses dans les chaumes piquants, pour faire lever des nuages de moustiques. Les 2 CV des bonnes sœurs (le film avec de Funès n'a rien inventé) roulaient à travers champs. Les groupes d'hommes se réunissaient pour regarder les concours de lutte bretonne, ou les jeux de palets. Il y avait de la musique de fanfare sans haut-parleurs, et par-dessus les sons aigres des binious et des bombardes. Vers midi, c'était la messe en plein air, comme pour un pardon, mais le vieux curé de Combrit n'en faisait pas partie. C'était un jeune abbé de la ville, qui prêchait en français, tandis que les fidèles entonnaient les chants liturgiques, certains en breton (*Itron Santez Anna*). Puis l'après-midi, après un buffet de charcuteries et de crêpes, la fête reprenait, les jeux, les concours, la lutte, et le soir venu, un bal – mais nous étions déjà repartis à vélo.

Au milieu de tout cela, la présence invisible de la marquise, qui restait dans sa chambre à l'étage, écoutant la rumeur de la fête, et nous regardions vers sa fenêtre comme si elle allait apparaître, silhouette frêle et ancienne, et nous sourire.

Qui s'en souvient ? J'ai voulu revoir le Cosquer, vingt ans après. Le château féerique avait disparu. Il ne restait qu'une vieille ferme en granite, trapue et modeste, adossée au bois. La marquise avait trépassé depuis longtemps et les héritiers ont voulu faire disparaître cette bâtisse blanche et onéreuse – l'un des héritiers a même commenté pour moi avec un certain dédain : « Quoi, vous regrettez cette pâtisserie ? » La nouvelle route avait mangé une partie de la forêt, le territoire qui avait envoûté les enfants m'a paru rétréci, juste quelques prés et quelques bosquets de pins, les mirages ne peuvent pas survivre au regard des automobilistes.

Sainte-Marine, c'est l'odeur de l'eau (dans la langue coréenne, c'est par ce mot, *hyangsu,* qu'on définit la nostalgie). Sur la cale, au départ du bac, le long des quais, une odeur mêlée de piquant, d'acide, de pourri, d'âcreté végétale, de « bouette », de mazout, et la couleur de l'eau, sombre à la marée haute, transparente et presque jaune quand le reflux faisait apparaître les bancs de sable. Je ne me souviens pas des mots que les gosses disaient en breton, pour la pêche, juste quelques-uns, *a-paolev* pour aller à la godille, *krog eo* pour jeter la ligne, *higenn* pour l'hameçon, *bouhed,* la nourriture, pour l'appât, *a-treant* quand il faut enfoncer la pointe du couteau dans le cerveau du poisson. Mais les mots, en français ou en breton, ne disent pas la sensation de dériver dans le courant du fleuve, le balancement des remous, la réverbération du soleil et les bruits de l'eau. L'eau du fleuve, dans la plate, qu'il fallait écoper à la boîte de conserve, même dans l'air en pluie fine comme une poussière qui trempait nos habits, toute cette eau qui nous emmenait rêveusement, *ster ar sorenn,* rivière du sommeil, pour la traversée du temps.

Moisson

Il faudrait parler aussi de la chaleur.

En août (en breton, *miz Eost*, le mois de la moisson), la terre du chemin vers la plage était dure et brûlante sous nos pieds nus. Nous avions vécu autrefois au Nigeria, où le soleil fendait la latérite et cuisait les pots de boue que nous mettions à sécher. En Bretagne, le sable des dunes était rempli de graines de chardon, nous courions et nous nous laissions tomber dans la dune pour regarder les nuages.

Au cœur de l'été, la moisson éclatait comme un instant majeur de la vie. Cela n'a sans doute pas changé aujourd'hui, il n'y a qu'à voir apparaître tout à coup sur les routes de campagne, à travers la France, le ballet des engins motorisés, des géants sur leurs pneus d'avion, hérissés de lames, de herses, de racloirs, qui coupent et battent le blé en marchant, et sèment dans les champs nus les roues de paille empaquetées dans du plastique vert ou rose, créant des tableaux surréalistes. À Sainte-Marine, en ce temps-là (dans les années 50), la moisson ne se faisait plus à la faux comme je l'avais vue dans la montagne près de Roquebillière. Les premières moissonneuses à moteur sont apparues aux États-Unis à la fin du XIXe siècle, et en Europe tout de suite après. En Bretagne la mécanisation a remplacé les modes de culture ancestraux, les chevaux et les charrues à bœufs ont été relégués dans les souvenirs du passé. À Sainte-Marine, la moisson se faisait en un jour, avec des moissonneuses louées, dans les champs autour du village de Combrit. Le battage avait lieu dans les grandes fermes, comme celle de la famille Cossec, dans le quartier de Kergaradec. Dire que c'était une fête serait en dessous de la vérité. C'était à la fois un évènement, une épreuve et une bataille. Il fallait tout finir dans une seule journée, pour ne pas risquer la pluie qui ferait fermenter le grain. Le blé moissonné dans les champs alentour, appartenant à plusieurs familles, était amené en tombereaux tirés par des tracteurs jusqu'à la ferme. Là, au centre de la cour, comme une espèce de monument de fer et de bois, on avait érigé la batteuse reliée à un moteur par une courroie de cuir. C'était à la fois archaïque et merveilleusement ingénieux, archaïque à cause de la taille de la machine, et moderne puisque tout se faisait grâce au moteur qui entraînait le système.

Comment savions-nous que le battage aurait lieu ? Comme pour la fête de la marquise nous le savions d'instinct, parce que cela avait lieu chaque été, et nous ne l'aurions manqué pour rien au monde. Sans doute étions-nous alertés par le bourdonnement des tracteurs qui moissonnaient les champs dans toute la région. À l'époque (comme c'est encore le cas dans les Côtes-d'Armor) les champs de blé s'étendaient jusqu'à la ligne des dunes devant la mer. La fébrilité de la moisson touchait tout le monde, même les touristes comme nous. Le dimanche qui précédait le jour de la moisson, le vieux curé de Combrit ajoutait, à la fin de son prêche en breton, quelques mots pour inciter les fidèles à prier pour que le temps soit favorable. Tout le monde au village en parlait, tout le monde attendait. Qu'on fût paysan, pêcheur ou commerçant, jeune ou vieux, on attendait ce moment.

Cela commençait tôt le matin, par le va-et-vient des tracteurs tirant les tombereaux chargés de gerbes. Un peu avant midi, on démarrait le moteur de la batteuse. Les images que je trouve aujourd'hui du battage à l'ancienne ne correspondent pas vraiment à mon souvenir. Elles me semblent lointaines, folkloriques. Il n'y a pas ce côté ouvrier, cette énergie populaire. Peut-être parce que nous étions des enfants (et comme tous les enfants, fascinés par les jouets mécaniques), la batteuse nous paraissait gigantesque, puissante, presque menaçante. C'était une tour verticale appuyée sur des jambages fixés dans la terre de la cour, calés par des blocs de pierre, de laquelle partait un tapis roulant cranté qui hissait les gerbes de blé jusqu'à la gueule du battoir. Le bruit du moteur, l'odeur du cambouis, la vibration de la tour et le mouvement saccadé des échelons portant les gerbes, tout cela faisait un spectacle magique. Les hommes s'activaient autour de la machine, debout dans les tombereaux avec leurs fourches pour extraire le blé, d'autres perchés en haut de la tour poussaient les gerbes vers les mâchoires de la batteuse, et le blé coulait au pied de la machine, où des ouvriers l'étalaient sur le sol avec leurs râteaux. La paille retombait de l'autre côté, était poussée en tas avant d'être liée, pour faire plus tard les meules. C'était bruyant, violent, du centre de la cour de la ferme montait un nuage de poussière qui recouvrait le sol, les toits et les vêtements, et qui piquait les yeux et faisait tousser. La plupart des ouvriers portaient des chapeaux, certains avaient noué des foulards sur leur bouche comme des cow-boys. Le bruit, l'agitation, l'odeur âcre de la poussière de blé sont dans ma mémoire. Nous étions des gosses, des citadins du Sud, des lycéens en vacances, mais nous ne pouvions pas nous extraire de cette fièvre, le triomphe du monde rural, nous ressentions quelque chose, il me semble, qu'aucune leçon d'histoire ou de géographie ne pouvait nous enseigner, quelque chose qui nous reliait à notre passé lointain (puisque, avant de partir pour l'île Maurice, notre famille avait appartenu totalement au monde fermier), et même au-delà, nous reliait au passé de l'humanité.

La fête de la moisson durait jusqu'au soir, se prolongeait dans la nuit. Je me souviens d'être sorti de Ker Huel, et d'avoir marché dans la direction de la ferme, pour voir les lumières encore allumées au centre de la cour, éclairant le nuage de poussière, écouter le toussotement obstiné du moteur à essence qui entraînait la courroie de la batteuse. J'ai dû revenir à Ker Huel à regret, et cette nuit-là je n'ai pas pu dormir, la tête encore vibrante de l'image de cette machine géante qui avalait les épis de blé.

Errer la nuit

Ces nuits d'été, si calmes, au ciel rempli d'étoiles. Je n'arrive pas à trouver le sommeil. Il me semble que tous mes nerfs sont des cordes vibrantes. Alors je me lève, je passe par la fenêtre du rez-de-chaussée, sans faire de bruit pour ne pas réveiller ma grand-mère qui campe dans la salle à manger. Dehors la lune peint en blanc le chemin qui va vers les dunes. Le vent souffle par rafales, et par-dessus le froissement des aiguilles de pin je perçois une rumeur légère, lointaine, continue comme un bruit de moteur, mais un bruit vivant, régulier, une respiration qui se mêle à mon souffle et aux coups de mon cœur dans les artères de mon cou.

Je n'ai pas peur. Je crois que je n'ai pas peur. Après les dernières maisons, les champs de pommiers, du côté de la plage, sur la gauche le sentier des douaniers entre dans la lande, longe l'océan dans la direction du cap. Nous allons souvent par là le jour, pour rejoindre les flaques à la marée basse, pêcher des berniques et des crevettes à faire cuire sur la plage. La nuit, on ne sait rien de la marée, les flaques sont invisibles, la haute mer brille à la clarté de la lune. J'écoute le bruit du ressac, qui entraîne l'odeur, plus forte dans l'obscurité. Une haleine qui vient des vagues. L'odeur de la lande aussi, une odeur poivrée, piquante. L'odeur de la vase invisible, et l'odeur plus puissante encore, l'odeur du large, dans laquelle il y a le sel, les algues, les failles profondes, les écueils. Les étoiles brillent à travers la lumière de la lune, tout près de l'horizon elles clignotent, mais ce sont aussi des navires de pêche arrêtés pour la relevée des casiers. Je regarde tous ces feux, certains allumés par les humains, le phare des Glénan, les balises du côté de L'Île-Tudy, et par à-coups presque aveuglants, au-dessus des têtes des pins, le grand phare de la pointe, qui découpe les arbres contre les nuages. Chaque feu brille selon son rythme, longtemps, ou bien très bref, il me semble que je reconnais ce langage, cela me rassure et m'inquiète en même temps, comme tout ce qui touche à la mer la nuit... Je sens le froid sur ma peau, je suis vêtu seulement d'un short et d'une chemisette, pieds nus dans mes sandales. Il n'y a personne, la nuit et la mer sont vides, le ciel noir est nu. S'il y a des pêcheurs, ils sont là-bas, perdus dans la brume, du côté de Penmarc'h, vers le raz de Sein. J'avance le long du sentier, tout d'un coup j'entends un bruit de pas dans les broussailles, des vaches en liberté qui piétinent, à la recherche de pommes sauvages. J'essaie de glisser dans les ajoncs, malgré mes précautions j'ai éveillé l'attention des chiens au loin, dans les fermes, ils aboient après moi, ou bien c'est la lune qui les rend fous ? Je m'assois à l'abri du vent sur un rocher au milieu des ajoncs. Il y a des colonnes de fourmis noires, elles ne dorment jamais. Je respire lentement pour gonfler mon corps du bruit de la mer, de l'odeur du vent, de la lueur des étoiles et de la lune.

Un soir, la nuit n'est pas encore tout à fait tombée, mon frère et moi nous marchons hors du village, attirés par le son du biniou. Quelqu'un joue à la pointe, du côté de la maison de garde de pierre et de lauze. Dans les rafales du vent, le gémissement du biniou monte et descend. Je ne sais pourquoi, nous imaginons que c'est un touriste allemand. Il joue loin du village, comme un défi. J'ai lu à cette époque Robert Louis Stevenson, le merveilleux roman *Kidnapped* qui raconte le voyage de David Balfour, un jeune puritain poursuivi par la haine de son oncle, à travers l'Angleterre révolutionnaire au temps d'Oliver Cromwell. Je me souvenais du passage où David assiste au duel à la cornemuse entre son compagnon de traque, Alan Breck, et l'un des chefs du clan des Campbell, Robin Oig, fils de Rob Roy. L'un après l'autre, ils interprètent les morceaux célèbres, et à la fin Alan est obligé de s'incliner, il s'adresse à son ennemi, il lui dit : « Vous êtes un scélérat, Robin Oig, mais je ne suis pas digne de jouer dans le même pays que vous ! »

Nous ne nous sommes pas approchés du sonneur mystérieux. Nous avons écouté la musique apportée par le vent, et quand elle s'est arrêtée nous sommes retournés au village, à Ker Huel, sans rien dire. Je crois que c'est cette musique qui porte l'éternité de ce lieu. Le monde a changé, c'est entendu, il a remplacé ses coutumes et ses costumes, il a un peu oublié sa langue. Mais si quelqu'un joue du biniou, là, un soir, dans la lande, dans le vent et la pluie, loin des maisons pour ne pas faire aboyer les chiens, tout ce qu'on a cru disparu reviendra.

Doryphores

Du grec *dory*, lance, et *phoros*, porteur, celui qui porte une lance. Il en est pourtant dépourvu, cet insecte timide et envahissant qui faillit détruire un pan entier de l'agriculture bretonne dans les années 50, en mangeant toutes les feuilles de pommes de terre. Contre lui on déchaîna des torrents de DDT (dichloro-diphényletrichloroéthane) sans souci pour les chats, les enfants et la nappe phréatique. En Afrique, nous avions approché quelques-uns des insectes les plus redoutables, la fourmi guerrière, combattant féroce qui traçait des routes droites à travers les champs et les maisons, les scorpions noirs qu'on débusquait sous les tapis et qu'on enflammait après les avoir arrosés d'alcool, et surtout les moustiques porteurs de la malaria. La Bretagne nous réservait une surprise : ce n'étaient pas quelques scarabées perdus, ou quelques cloportes rampant dans l'ombre des caves. C'étaient, en plein soleil, des armées d'insectes jaune et noir, décorés de dix bandes régulières sur leur dos, qui circulaient partout : sur les routes, dans les jardins, dans les pâturages, sur les haies. Parfois ils étaient si nombreux que les rares voitures en passant sur eux laissaient la marque de leurs pneus. Nous aurions pu être effrayés. Au contraire, les doryphores nous parurent un élément intéressant et nouveau dans la vie de Sainte-Marine. Je me souviens d'avoir passé une bonne partie d'une après-midi, assis dehors au bord du chemin, à observer, puis à tenter d'apprivoiser ces animaux. J'avais décidé de créer un cirque dont ils auraient été la principale attraction (et même la seule). Je voulais, puisqu'ils étaient une armée, en faire des soldats. J'avais construit un itinéraire circulaire pour leur apprendre à marcher au pas, les uns derrière les autres, sans se bousculer ni se chevaucher. J'ai régné sur ce petit peuple plusieurs étés de suite, je sens encore sur la paume de mes mains et sur la peau de mes avant-bras le léger chatouillement de leurs pattes munies de minuscules griffes. Il y avait parfois des accidents, les doryphores écrasés laissaient suinter de leur abdomen une crème blanche inodore, mais je n'ai jamais joué aux jeux sadiques ordinaires des enfants qui arrachent les ailes aux mouches ou attachent un fil à la patte des *ch'will*, les hannetons dorés, ou pis encore, comme je l'ai vu souvent à Sainte-Marine, qui s'amusent à faire éclater les *touzed* (les crapauds) dans les montants des portes. Un temps, j'ai gardé les meilleurs soldats du cirque dans des boîtes d'allumettes, en les nourrissant de feuilles de patates, comme j'imagine que les Romains gardaient leurs gladiateurs. Quand je les lâchais dans l'arène, il me semblait qu'ils étaient possédés par l'ivresse de la course, et qu'ils galopaient mieux ! J'ai essayé de leur faire faire d'autres tours, comme de franchir des ponts, ou de traverser des arceaux, mais ils se contentaient d'éviter l'obstacle. Assez étrangement, pas un seul ne tenta de s'échapper en ouvrant ses élytres et en s'envolant. Peut-être qu'ils étaient déjà conditionnés, et qu'ils avaient pris goût à leur travail.

Lorsque je suis revenu en Bretagne à l'âge adulte, j'ai cherché en vain les doryphores. Ces envahisseurs venus d'Amérique – importés du Colorado avec les cargaisons de patates au XIXe siècle et répandus sous toutes les latitudes où on mange ce tubercule, c'est-à-dire l'Amérique et l'Europe occidentale – avaient complètement disparu, par l'effet d'une campagne féroce d'extermination. Les humains les avaient pulvérisés avec ce fameux DDT (ou peut-être le nouveau venu des poisons agricoles, le glyphosate) à l'aide de compresseurs munis de lances – en fait c'étaient eux les porteurs de lances ! Les enfants ne comprennent pas bien ces choses-là, mais l'absence des doryphores m'a paru alors un très grand vide, car cela signifiait aussi la disparition de tout un cycle de vie, des œufs aux larves et aux images, jusqu'à ce petit être ailé et maladroit, vorace et inoffensif, portant sur son dos la livrée des suisses de la garde papale. Les pommes de terre s'en portèrent mieux, mais il manquait quelque chose à la terre bretonne, peut-être juste cette touche de couleur ? De même que la disparition des coquelicots, complètement inutiles eux aussi, au milieu des champs de blé.

La guerre

Les traces de la guerre, je les voyais partout. Nous vivions encore, pour une part, dans un temps de guerre. Si je pense à cette époque, somme toute très brève, de l'enfance, ces environ dix, douze ans qui se terminent par l'entrée dans le monde adulte, la Bretagne prend un sens très différent de celui qu'elle a aujourd'hui à mes yeux. La Bretagne, particulièrement ce pays bigouden que ma mère aimait par-dessus tout, ce pays où elle reçut la demande en mariage de mon père, où elle a accouché de mon frère et où elle est revenue se réfugier trois mois après ma naissance à Nice, et qu'elle a dû quitter à regret lorsque la Kommandantur allemande a décidé d'expulser tous les non-résidents, est un lieu de guerre et de ruines, même si je n'ai aucun souvenir de cette période, et que mes premiers souvenirs sont davantage attachés à l'arrière-pays niçois où nous étions réfugiés.

Sans doute a-t-elle voulu y revenir comme à son vrai pays. C'est en Bretagne qu'elle avait passé une partie de son enfance durant la Première Guerre. Puis, quand elle a eu vingt ans, elle y est venue chaque été, en vacances avec ses parents, à Douarnenez, à Saint-Michel-en-Grève, à Loctudy surtout. Après son mariage avec son cousin, elle a choisi ce pays pour passer sa lune de miel au Pouldu, pour se baigner dans la Laïta, et voguer dans la petite barque que mon père avait achetée. Il y a cette photo d'eux, au bord de la grève, mon père porte les pantalons de grosse toile des pêcheurs, ma mère une robe-tablier, ils sont chaussés de sabots de bois. Un instant de bonheur ensemble, avant le départ de mon père pour l'Afrique, avant la séparation cruelle des années de guerre.

Les traces de la guerre, je les ai suivies à Sainte-Marine. Il y avait encore dans les années 50 des bunkers dans la lande, et à certains endroits, dans le sable blanc des plages, les restes de murs en béton et les chicanes rouillées. Sur les laisses de la mer, parfois, j'ai trouvé de vieilles boîtes de conserve peintes en kaki, contenant de la viande de porc ou du lait concentré. Un jour, quand nous arrivons, il y a un attroupement de gosses sur le bord de mer. En m'approchant j'ai vu cette chose incroyable, monstrueuse, une mine flottante échouée, noire et verdâtre, portant des pointes hérissées pareilles à des pattes de crabe auxquelles s'accrochent des lambeaux d'algues, un signe de mort dans la douceur de la plage. Un instant plus tard, les gendarmes sont arrivés, et les gosses ont dû aller se cacher derrière les dunes pendant que les démineurs désamorçaient l'engin.

Les légendes de la guerre couraient à Sainte-Marine, comme si l'état de sidération dans lequel la population bretonne avait été plongée ne pouvait pas complètement se résorber. Une peur, mêlée à la rancœur. Quelque chose qu'on partageait sans comprendre, la présence d'aliens dans ce pays rural, un trouble de la mémoire. Du côté de Poullan, l'histoire étrange de ce jeune garçon sorti la nuit, comme je l'ai fait moi-même, la sentinelle allemande dans son bunker sur la côte qui lui crie : *Was ist das ?* Lui détale, mais il est touché par un coup de feu, blessé à la jambe. L'Allemand le rejoint, voit l'enfant blessé, il le porte jusqu'à la ferme voisine, réquisitionne une charrette à cheval et conduit le garçon jusqu'à l'hôpital de Pont-Croix. Mais au même endroit, une autre sentinelle tire sur un fermier qui braconne, et le tue.

En avril 40, nous sommes (ma mère, mon frère et moi) à Nice, la ville où je suis né. En mai, nous sommes de retour en Bretagne. Mon père, qui a essayé en vain de traverser le Sahara de Kano à Mers el-Kébir, est persuadé que cette guerre sera longue et meurtrière, il a fait le projet de nous embarquer pour l'Afrique du Sud *via* l'Angleterre. Ce qu'il ignore (comme les Français eux-mêmes), c'est qu'au moment même où ma mère, réfugiée à Pont-l'Abbé, écoute la radio annoncer que nos troupes contiennent vaillamment l'ennemi sur le front de la Marne, elle voit par la fenêtre de sa cuisine les soldats allemands défiler dans la rue.

C'est leur moment de triomphe. Ma mère, que personne ne pourrait accuser de complaisance envers l'ennemi (même si elle a toujours refusé d'utiliser le nom péjoratif de « boches »), m'a raconté ensuite le passage des envahisseurs sur les routes bretonnes : de très jeunes hommes, presque des enfants, torse nu, bronzés, l'air de s'amuser, peut-être assez semblables à ceux que je vois aujourd'hui chevaucher leurs planches de surf à la baie des Trépassés. Pour eux, c'était la fin de la guerre, des grandes vacances en quelque sorte. Ils n'étaient pas agressifs, pas insolents. La Bretagne, c'était leur Graal, ils en avaient rêvé dans les tranchées, ou pendant qu'ils roulaient entassés dans les camions bâchés, sur les routes qui allaient vers l'ouest. La Bretagne, c'était la fin de toutes les guerres, puisqu'on ne pouvait pas aller plus loin. C'était l'été 40, ils ne se doutaient pas qu'en fait tout avait commencé, et qu'ils auraient un jour à battre en retraite, hâves, exsangues, affamés, terrorisés par les bombardements des Alliés et par les pièges de la Résistance. Ma mère n'avait pas d'autre élément de comparaison. Les hommes, en Bretagne comme dans la plupart des régions occupées, étaient prisonniers. On ne savait rien d'eux. On ne savait rien non plus de ce qui se passait au front de l'Est, rien des persécutions contre les Juifs, rien des louches subterfuges du marché noir, de la délation des bons « patriotes » décidés à Paris à éradiquer la peste communiste. Ce qu'elle voyait, elle, quand elle les croisait sur les routes en allant chercher du lait et des légumes, c'étaient des hommes pleins de l'insouciance et de l'innocence de la jeunesse, et elle devinait déjà leur destin tragique.

Plus tard, elle dut déchanter, lorsqu'elle fut convoquée à la Kommandantur de Pont-l'Abbé, et qu'un officier dédaigneux lui signifia qu'elle aurait à s'en aller au plus vite, avec ses nourrissons et ses vieux parents de santé défaillante. L'homme qui lui remettait l'ordre de déportation ajouta : « Vous êtes restée assez longtemps en Bretagne, maintenant c'est à notre tour d'en profiter. » Partir de Bretagne a dû lui paraître un exil du paradis, parce qu'il y avait là tout ce qu'elle aimait – et c'était pour aller où ? À Paris, il n'y avait plus d'argent, ils avaient tout perdu. Vers le Sud, mais il fallait traverser un pays en déroute, où on risquait sa vie, dans une vieille bagnole décrépite, sans être sûr d'avoir assez d'essence, et surtout avec deux bébés dont un était encore un nourrisson. De plus, cela mettait fin au rêve de mon père de nous embarquer sur un bateau de pêche pour rejoindre l'Angleterre, et partant de là une région du monde où il n'y aurait pas la folie de la guerre.

Mais les ordres du commandement allemand ne se discutaient pas. Alors elle a chargé la vieille bagnole de provisions et d'effets, et elle a pris la route.

À la mer

Dans la chaleur de l'été, la mer était comme la mémoire d'un monde hivernal. Quand nous sommes revenus d'Afrique en 50, c'est cette mer-là que nous avons éprouvée – avant la Méditerranée, et bien sûr oublieux de la baie de Takoradi sur la route du Nigeria où nous avions pris un bain d'écume. Pourquoi est-ce cette mer que nous avons choisie ? Peut-être parce que c'est dans cette mer que j'ai vraiment appris à nager. Jusque-là, je pataugeais, ou bien, dans la piscine du *District Officer* d'Abakaliki, je me laissais porter par la chambre à air de camion en guise de bouée. La leçon de natation, je l'ai reçue sur la plage de Saint-Ouen, dans l'île de Jersey, quand j'ai eu dix ans. C'est la même mer qu'à Sainte-Marine, violente, imprévisible, à marée basse retirée jusqu'à l'horizon. Nous nous aventurons au plus près des vagues, puis tout d'un coup la mer monte et nous entoure. Nous ne l'avons pas vue arriver, c'est en septembre, au temps des marées d'équinoxe. Il fait froid, le ciel et la mer sont gris, le vent de la marée a commencé à souffler et la ligne des déferlantes s'est brusquement rapprochée, avec un bruit de sourd tonnerre. Ce qui n'était qu'un jeu d'enfants sur une plage devient angoissant, j'ai lu en ce temps dans la bibliothèque de ma grand-mère le petit roman édifiant *La Roche aux mouettes*, aujourd'hui bien oublié. La mer pousse ses langues sur le sable dur, envahit peu à peu les flaques, se rejoint, se renforce, et voilà, nous sommes tous les deux sur un îlot de sable, nous sommes pris. Mon frère est plus grand que moi, il a déjà traversé le bras de mer, il m'attend de l'autre côté, il me fait signe de venir. Mais j'hésite, la côte est loin, troublée par la brume, et le courant qui me sépare de la plage devient violent, il coule comme un torrent, dans un sens, puis dans l'autre, suivant le mouvement des vagues. Je dois me décider, j'entre dans la mer froide, d'abord jusqu'à la taille, puis tout à coup je perds pied, le courant m'emporte. Les leçons de natation en piscine, la brasse, ça ne sert plus à rien, il faut nager, nager comme un petit chien, la tête hors de l'eau, en pédalant des bras et des mains, sans respirer. Puis, l'instant d'après, je sens le sable du fond sous mes pieds, je remonte à genoux la pente, je m'arrache au courant. Je cours sur le sable dur, dans le vent qui brûle les oreilles, je cours vers la côte. C'est la première fois que je nage, la première fois que je sens cette impression de force, de triomphe. Je nage, je sais nager, je n'oublierai plus jamais. J'ai dix ans, c'est la mer qui m'a appris à passer le courant, c'est la mer qui m'a montré le chemin. À Sainte-Marine, à Mousterlin, à la Torche. Partout où j'irai, je pourrai traverser, glisser, voler.

La marée basse

Comme tous les gosses de bord de mer, c'est à la marée basse que j'ai appris les secrets. À Sainte-Marine, je ne pensais pas à la marée pour me rendre à la plage (même si pour les grandes personnes en vacances en Bretagne la montée de la mer signifiait un bon bain dans l'eau attiédie par le sable et les vagues qui vous boulent dans l'écume). Je rejoignais la mer plutôt à la marée basse, vers la pointe de Combrit, une zone sans constructions, sans digues, sauvage et noire, occupée par de grandes plaines de rochers qui étaient découvertes deux fois par jour. Il y a quelque chose d'étrange, presque d'obscène, dans ce retirement de la mer qui met à nu les fonds. Aux grandes marées, deux fois par mois, la mer se retire si loin qu'il semble qu'on puisse toucher au plus profond de l'océan, marcher sous la mer comme les scaphandriers du roman de Jules Verne. On avance au milieu des écueils aiguisés couverts d'algues, le long de vallées où l'eau des flaques prend par endroits une couleur sanglante à cause des anémones, on contourne des trous noirs où frémit la vie. Ce ne sont pas les coquillages ni les crevettes qui m'intéressent. C'est comme marcher au fond d'un rêve, partir à la rencontre avec les trésors engloutis et les monstres.

Je ne les ai pas rencontrés. Mais j'ai fréquenté un être vivant, sans jamais vraiment le voir : dans la flaque la plus lointaine, plutôt un lac qu'une mare, si près de la mer que chaque vague bondit sur les récifs alentour et m'éclabousse, et se déverse en cascade autour de mes jambes, un poulpe sort à demi de sa cachette et me cherche. Doucement, il étend ses tentacules et il explore mes pieds nus. Je ne le vois pas. Je ne bouge pas, j'attends de sentir son toucher léger sur mes orteils. Il veut seulement me rencontrer, me reconnaître. À la lumière du ciel, je vois ses bras qui flottent sur le fond, couleur de fumée, très doux. Il me connaît. Chaque fois que j'arrive, il sort ses bras pour me toucher. Au début, j'étais un peu inquiet, et lui aussi sans doute. En Méditerranée, à Nice (lieu sans marée), j'ai vu des pêcheurs qui retournaient un poulpe sur la plage pour l'étouffer. La bête brillait au soleil dans un désordre de tentacules et d'encre. Elle était en train de mourir. Ici, à marée basse, je ne suis pas chez moi. Je suis dans le monde des poulpes et des poissons, pas dans le monde humain. J'imagine que quelqu'un pourrait facilement capturer le poulpe à l'aide d'un croc, l'extraire de sa cache et le retourner. Je ne dis mon secret à personne. Si nous allons pêcher à pied avec les filles, Maryse et Jeannette, je les entraîne au plus loin de la mare du poulpe. C'est mon secret. Quand je viens seul, à la marée basse, j'entre dans la mare, les tentacules légers glissent hors du trou, touchent mes pieds, s'enroulent autour de mes chevilles.

Si je bouge, ils se rétractent. Je reste immobile dans le bruit du vent et de la mer. Aujourd'hui, demain, toute la vie. La rencontre est possible.

Les flaques laissées par la marée, à la pointe de Combrit, avaient une magie qu'aucun aquarium ne m'a donnée. Cette eau noire, mystérieuse, odorante était l'origine visible de la vie ancienne, entre mer et terre, suspendue, prête à l'aventure de la conquête des continents émergés. Je les approchais chaque fois avec un cœur battant, comme si j'allais faire des rencontres imprévues. Là, je n'avais pas envie de pêcher. Le filet à crevettes me paraissait dérisoire. Sous la surface lissée par le vent, comme à travers un miroir, je guettais quelque chose que je ne connaissais pas. Animal, ou végétal, ou les deux à la fois. C'étaient surtout les anémones. Au plus léger effleurement elles se rétractaient, ne laissant voir qu'un tube coriace, rougeâtre. Quand elles se rouvraient, leur corolle se développait en fleur nacrée et orangée. J'imaginais qu'elles me voyaient de l'autre côté du miroir. Autour d'elles zigzaguaient des animalcules inconnus, des larves, des crustacés transparents. Sans doute étais-je attiré par l'idée d'un monde clos, un monde parfait, qui n'avait besoin de rien d'autre, vivant deux fois par jour le cyclone de la marée montante, s'agrippant, se terrant dans ses trous. Puis, à la baisse des eaux, relâchant ses sphincters et ses muscles, craquant au soleil comme les bancs de moules ou les patelles.

Les enfants sont autant prédateurs que les adultes. Dans les mares, à plusieurs (avec des gosses du village, ou avec les deux filles) nous avons pêché des crevettes minuscules, des crabes, nous avons détaché de la roche les patelles. Dans un coin de la côte, à l'abri du vent, nous avons allumé un feu de varechs séchés et de bois flotté, et dans une vieille boîte de conserve un peu rouillée nous avons cuisiné notre pêche à l'eau de mer, et je crois que je n'ai rien mangé d'aussi bon, malgré l'odeur de l'iode et le vague parfum de mazout des goémons. C'était comme de manger la mer.

La Torche

Beg an Dorchenn, en breton la pointe de la butte, ou, si l'on veut, du coussin, à cause de la forme. S'il y a au monde un endroit où la beauté de la mer éclate, c'est ici. De Sainte-Marine, la route pour y aller semblait interminable. La vieille Monaquatre de ma mère, remise sur ses roues pour le voyage, poussée par les gamins du village parce qu'elle ne voulait pas démarrer à la manivelle, tanguait et roulait et cahotait sur les routes de l'Ouest. La plupart, à cette époque, n'étaient pas asphaltées et tellement semées de trous (mes parents disaient de « nids-de-poule ») qu'on aurait cru qu'elles portaient encore les marques du dernier bombardement.

Passé Pont-l'Abbé et Saint-Jean-Trolimon, la route de Saint-Guénolé filait droit sur la pointe, dans la direction du soleil et de l'océan. L'arrivée à la Torche était étonnante. La lande rase portait quelques fermes trapues, adossées au vent, et des arbres rabougris, tortueux, recourbés comme de petits vieux, et des haies de tamaris. Pour nous qui arrivions de la campagne assez charmante de Sainte-Marine, avec ses champs de pommiers et ses prés verts, habitée de résidences de vacances en briques et de chaumières coquettes entourées de jardinets à roses roses et hortensias bleus, nous avions l'impression de pénétrer dans la sauvagerie.

La Torche semblait l'étrave d'un navire ouvrant la mer, une épave noire et brisée à demi naufragée. Pour des enfants sortis de la guerre comme nous l'étions, l'endroit avait un sens qu'il n'a plus aujourd'hui. Restaient encore les ruines du blockhaus que les soldats allemands avaient édifié au sommet de la butte. À l'époque, on disait que c'étaient les Allemands qui avaient déguisé le site en monument préhistorique en dressant des pierres et en recouvrant le fort de terre pour en faire un tumulus. Par la suite j'ai été assez étonné d'apprendre que c'était l'inverse, qu'ils avaient utilisé le monument pour y dissimuler un blockhaus. On n'y entrait pas. Comme pour la plupart de ces lieux, l'intérieur du blockhaus était obstrué par les ronces, et les ouvertures dégageaient une puanteur d'urine et de moisi. Pour moi, c'était un lieu de magie noire. Le contraire exactement des châteaux de fées, un lieu de guerre et de mort. Nous étions bousculés par les bourrasques qui nous faisaient pleurer, nous sentions la puissance de la mer, nous entendions les coups des vagues cognant le socle de granite. De chaque côté de la pointe, l'horizon fumait d'embruns. L'écume s'envolait par paquets qui couraient sur la lande. Ici, à la Torche, plus qu'à la pointe du Raz ou du Van, je ressentais que nous étions arrivés à l'extrémité du monde (*Pen ar bed*), sur cette avancée dans l'océan qui portait les traces de la guerre, noirs chicots des bunkers échoués dans le sable de la plage, et sur les dunes les chicanes de ciment armé rongées par la rouille.

Je suis souvent revenu à la Torche. Plus souvent qu'à Sainte-Marine, peut-être parce que j'ai pensé que ce lieu ne devait pas changer. Chaque fois que je suis en Bretagne, je visite la pointe, pour retrouver le souvenir de ce que c'était, cinq ans après la fin de la guerre. Le monde change vite, les enfants d'aujourd'hui viennent aussi à la Torche, mais ils voient autre chose. Ils glissent comme des oiseaux sur les longues vagues, à cheval sur leurs planches de surf, il y a même des cerfs-volants géants qui les baladent au-dessus des remous qu'on disait jadis mortels. C'est bien, il convient d'oublier les champs de bataille, d'ignorer les restes des forteresses bâties par les esclaves russes et polonais. Moi, je ne le pourrai pas. Dans l'éclat de la mer, la neige aveuglante des nappes d'écume, je vois la violence de l'Histoire, la violence et la fourberie, et sur les ruines solennelles du monument de l'âge du bronze, j'aperçois toujours les dents noires fossiles du grand requin de guerre.

Religion

Venir du Sud jusqu'au Finistère, c'était non seulement changer de géographie et de climat, mais changer de monde. Le Sud (Nice) n'était pas moins religieux ni traditionnel que la Bretagne : on y trouvait bien tout le cérémonial auquel les enfants adhèrent d'instinct, sans rien remettre en cause. Mais c'était le christianisme méditerranéen, catholique romain, avec tout ce que cela comportait de décor, d'apparat, de gesticulations. Églises dorées, pompeuses, modelées sur les temples latins et les synagogues, costumes rituels extravagants, et ces fêtes qui se déroulaient à l'extérieur, durant lesquelles les fidèles (dont nous étions, comme catéchumènes) défilaient pendant des heures en portant des bannières, des dais, des ostensoirs, des encensoirs, dans l'éclat des haut-parleurs qui tonitruaient les « *ave... ave... ave Mari-i-a !* ». La bénédiction des barques de pêche dans le port (ce qu'il en restait à l'époque, aujourd'hui disparues), sous l'œil goguenard et les lazzis des membres du parti communiste accoudés aux parapets.

À Sainte-Marine, la religion était plus discrète. Le

dimanche, la messe de dix heures à la chapelle de Saint-Voran (le nom avait été changé pour une imaginaire sainte Marine, comme pour plaire davantage aux touristes) était une cérémonie familiale. L'étroite nef accueillait la majorité des habitants du bourg, les hommes en complet bleu marine, les femmes en costume bigouden, portant les hautes coiffes de dentelle. Dans la chapelle, les hommes et les garçons à droite, les femmes et les filles à gauche, selon un ordre immuable et sans raison – cela avait toujours été ainsi, par préséance, par bienséance, ou par habitude.

Avant l'office, dans le léger brouhaha des fidèles qui prenaient place, une petite vieille vêtue de noir circulait de rang à rang : la chaisière qui récoltait son dû. C'était plus cher pour les trois ou quatre premiers rangs, avec chaise cannée et prie-Dieu muni d'un coussin, moins cher pour les rangs suivants où le prie-Dieu était remplacé par un unique banc en bois, et bon marché à l'arrière où il n'y avait que des bancs pour s'asseoir. Le paiement de la chaisière devait contribuer à sa survie, une vieille sans autre ressource, j'imagine qu'en échange elle devait avoir la responsabilité d'entretenir l'assise en paille des chaises et de dépoussiérer les bancs. Les chaises étaient petites et légères, elles craquaient durant tout l'office sous le poids des fermières corpulentes et sous l'agitation impatiente des enfants. Mais l'ambiance de la messe était respectueuse, et je n'ai jamais été témoin des inconvenances auxquelles se livraient les petits Niçois, qui s'asticotaient entre eux et même lâchaient des pets sonores à l'instant de l'élévation.

De l'autre côté de l'allée centrale, les femmes suivaient

la messe avec dévotion (la plupart sans missel parce qu'elles ne savaient pas lire), elles chantaient, prononçaient les répons en latin, répétaient les prières en breton, assises bien droites dans leurs costumes empesés. De l'autre bord, les garçons zyeutaient les filles – c'était le seul moment de la semaine où ils se regardaient – pareilles à des poupées dans leurs guises et leurs coiffes, leurs longs cheveux roux relevés en chignon.

Il y avait des absents. Une bonne partie des pêcheurs s'abstenait d'entrer dans l'église. Le dimanche, ils revêtaient leurs beaux costumes bleus et coiffaient leurs casquettes irlandaises, mais c'était pour aller boire des verres au café du débarcadère et causer politique.

Nous autres (mon frère aîné et moi) avons souvent enfilé la robe des enfants de chœur, rouge écarlate à col blanc, et comme dans le conte de Daudet nous agitions avec véhémence la sonnette, jusqu'à ce que le vieux curé agacé nous fît un signe de la main pour nous faire taire.

C'était la fin d'une époque et le commencement d'une autre, mais nous n'en savions rien. Nous pouvions croire que cela durerait toujours. L'Église bretonne, à ce moment, était encore dans le rôle qu'elle avait tenu depuis ses débuts, quand les saints irlandais et gallois étaient venus christianiser l'Armorique, saint Samson, saint Tudy, saint Ronan, saint Yves, saint Tugdual, saint Guénolé, ou saint Conogan qui avait traversé la Manche sur son bateau de pierre. C'était encore une Église monastique plutôt que romaine, née dans les landes et les genêts, autoritaire et protectrice, où les fidèles se regroupaient autour des *manac'h* et les curés portaient la loi et la culture. Tout leur incombait, les prières et les exorcismes, les conseils, les oraisons funèbres et les invocations pour guérir les malades. C'est ce monde-là qui était en train de disparaître dans les années de mon enfance, avec les prières en langue bretonne, les cantiques, les pardons traditionnels où le pittoresque et la curiosité des touristes avaient peu de part.

La Bretagne n'a pas fait exception. Partout en France la religion est devenue plus rationnelle, plus ordonnée. À Nice, les processions, la bénédiction de la mer et des bateaux ont été interdites par la mairie au prétexte qu'elles gênaient la circulation des autos. En Bretagne, pendant le temps où j'ai cessé d'y venir, à mon adolescence, les églises se sont vidées et les chapelles ont été fermées, abandonnées, parfois transformées en musées ou en résidences secondaires. Les *person* de la Bretagne traditionnelle se sont mués en curés itinérants, venus parfois d'autres régions ou d'autres continents. Leurs chasubles dorées ont été peintes en vert, les autels retournés afin de faire face au public, comme s'il s'agissait de théâtre. Les prêtres et les religieuses ont abandonné leurs costumes et se sont habillés en civil, pour ne pas choquer les incroyants. Dans certaines églises de régions isolées (par exemple à Poullan, près de Douarnenez), j'ai même assisté à une messe entièrement dite par des femmes dans une chapelle décorée de bouquets de fleurs. C'était d'une incroyable audace mais personne ne semblait s'en rendre compte.

Avant l'histoire

Nous étions les enfants d'un monde latin, méditerranéen. D'avoir grandi au bord de la Méditerranée, dans la familiarité des oliviers et des pins parasols, des palmiers et des géraniums en pots, nous donnait cette vague supériorité sur les habitants du reste de la France. Comment pouvait-on lire Virgile à Paris, dans la grisaille et les fumerolles des poêles à charbon ?

Pourtant, chaque été, à Sainte-Marine, en Bretagne, nos convictions étaient bousculées. Par le vent, le crachin, les marées, les tempêtes, ou tout simplement par les champs de pommiers et la lande.

La lande, nous avions appris à la reconnaître. Par la langue bretonne d'abord : en Bretagne, *lann* cela ne veut pas dire n'importe quoi. Cela veut dire les étendues d'ajoncs, cette fourrure gris-vert qui recouvre la terre, qui s'empare de tous les lieux inhabités. Est-ce que nous savions qu'elle était cultivée ? Je ne me souviens pas d'avoir vu des tombereaux de cette plante qui servait de nourriture aux chevaux de trait et au bétail, ni d'avoir entrevu dans la cour des fermes l'appareil à main qui permettait de la déchiqueter. Cela avait probablement déjà disparu dans l'après-guerre. Il y avait encore des chevaux (de cette race bretonne puissante et lourde) attelés à des charrettes, pour transporter le varech ou pour tirer les sarcloirs, mais ils devaient appartenir à des paysans obstinés ou impécunieux qui maintenaient leur indépendance. Le dieu cheval (*marc'h*, qui avait donné son nom au roi de Cornouaille de la légende de Tristan et Isolde) avait régné depuis des millénaires sur le monde celte, il ne pouvait pas s'effacer juste à cause de la mécanisation (de même en Alsace). Les années de guerre avaient probablement remis en service ce système de traction, du fait de la pénurie de carburant.

Al lann, c'était la plante indispensable à cette économie. À la fin de l'été, elle produisait un spectacle de fleurs jaunes, au moment où les genêts ouvraient leurs pétales d'or, et la bruyère ses lacs roses et rouges. Les pays de bord de mer inventaient une culture de la sauvagerie, pour aucune société humaine. C'était un pays pour les lapins, les chevreuils, les renards, non pour les humains. Ou bien alors pour une autre race d'humains, aujourd'hui disparue. Au hasard de mes marches dans la lande, du côté de la baie d'Audierne, ou le long des falaises, à la pointe de la Jument, j'ai compris des images que j'avais lues dans les livres, chez Robert Stevenson par exemple, lorsqu'il décrit l'émerveillement que cause la lande après la pluie au jeune David Balfour et à son compagnon de route le fugitif Alan Breck : ayant échappé aux soldats de Cromwell en courant à travers les broussailles, par une pluie battante, tout à coup ils découvrent la lande au bord de la falaise, irriguée par une dentelle brillante de cours d'eau entre les ajoncs et les fougères, et ils s'arrêtent de courir, étonnés par cette beauté.

Cette sauvagerie, j'aimerais mieux dire cette étrangeté, je l'ai ressentie un jour, près de Penmarc'h, en découvrant au milieu de la lande une large pierre plate, pareille à un bateau de granite, recouverte par des lignes géométriques, tel un message mystérieux laissé par les hommes de la préhistoire. Puis j'ai compris que c'était simplement un site de polissage d'outils de pierre. Les outils et les hommes ont disparu, mais la pierre à polir est restée enchâssée dans son écrin d'ajoncs, dans l'état où les usagers l'ont laissée il y a dix mille ans. Cette impression d'un temps immuable, où les siècles se touchent, où on peut toucher le temps avec ses doigts.

Le mystère

C'est le sentiment le plus durable que je garde de cette enfance en Bretagne, peut-être parce qu'il rejoint d'une certaine façon la magie de la nature en Afrique, la puissance des orages électriques et des pluies torrentielles qui cascadaient sur le toit de notre case à Ogoja, ou la voûte des arbres géants sur la route d'Obudu, à la frontière du Cameroun. L'étrangeté absolue des constructions des termites dans la savane.

En Bretagne, la violence de la mer, du vent, de la pluie, et aussi la brûlure du soleil certains jours. La solitude des criques, encombrées de galets géants, trouées de grottes où les vagues explosent. Et la lande où parfois surgit une pierre levée, un menhir, dont le vrai nom en breton est *peulven*, le pilier de pierre. Nous sommes allés partout où ces monuments existent, à Locmariaquer pour voir le grand menhir brisé, par la foudre ou par les hommes, un géant de vingt mètres de haut et de trois cents tonnes. À Carnac, nous avons escaladé les tables de pierre et les tumulus, joué au milieu d'une armée de pierres. À Loctudy pour voir le menhir englouti, à Gavrinis nous avons traversé la mer en barque à rames jusqu'au temple souterrain aux murs portant des cercles concentriques dont le guide disait qu'ils représentaient les empreintes digitales de son constructeur. Je me souviens d'avoir collé mon oreille contre le granite des dolmens pour entendre la vibration électrique qu'ils émettaient, et je l'ai entendue ! Ce qui me paraissait extraordinaire, incroyable, ce n'étaient pas ces constructions archaïques, c'était que les Bretons étaient arrivés un jour dans ce pays et qu'ils avaient été reçus par ces dieux, qu'ils les avaient respectés, parfois craints, et que les dieux les avaient laissés s'installer chez eux. Sans doute parce que je venais d'ailleurs, que je n'étais jamais chez moi nulle part, ballotté, baladé entre la Maurice de mon père, la Bretagne de mes ancêtres et la Nice de mon enfance – il y avait donc cette étrangeté au monde, cette déroute, cet exil, et les piliers de pierre dressés vers le ciel, les allées couvertes pareilles à des écailles de dragon, les vaisseaux couchés dans les ajoncs me disaient qu'il y avait un autre monde avant le mien, que j'étais juste de passage…

Nous avons fait notre retour aux sources. Aujourd'hui, cela ressemblerait à une excursion. À l'époque, à bord de la vieille bagnole, c'était toute une expédition. Partis tôt le matin, nous roulions dans la direction de Quimperlé, puis nous remontions vers l'intérieur jusqu'à Pontivy. C'était une autre Bretagne, loin de la côte, un pays vert perdu au bout de vallées étroites. Des hameaux plutôt que des villages, dont les noms sonnaient vaguement familiers, Josselin, Le Stumo, Le Stang, Kerven. Au bout de toutes ces routes, nous sommes arrivés au village du

Cleuziou que notre père, sans aucune certitude, avait déterminé comme notre lieu d'origine. Quelques fermes anciennes, l'air de maisons fortifiées, autour d'une cour boueuse. « Saluez vos cousins », nous disait notre père, mais nous n'avions pas très envie. Deux gosses se tenaient immobiles devant l'entrée de la ferme, ils nous regardaient comme si nous étions des envahisseurs. Ils devaient avoir notre âge ou à peu près. Vêtus pauvrement, chaussés de galoches, leurs visages rouges élargis par leurs yeux étroits, clignés dans la lumière du soleil. Je crois me souvenir qu'un des enfants avait son nez taché de morve. Ce qui nous étonnait le plus, c'était leur coiffure, les cheveux raides coupés au bol leur faisaient un casque épais de crin châtain clair. Je ne sais pas si nous leur avons parlé. Il me semble bien qu'ils n'ont rien dit, l'air buté, méfiant, craintif, deux petits Bretons d'un autre âge, grandis dans cette ferme loin de la mer, loin des vacanciers, loin des Parisiens. Ils auraient pu être à notre place et nous à la leur, si l'histoire s'était déroulée autrement. Je ne les ai pas oubliés. Je suis retourné voir le village plus tard, quand j'ai repris contact avec la Bretagne, après une si longue absence. Là aussi, tout avait changé. Il n'y avait plus d'enfants coiffés au bol, sortis du Moyen Âge. Juste quelques paysannes en tablier, les mains et le visage rougis par le froid de la campagne. L'une d'elles à qui j'ai parlé m'a dit s'appeler Josselin, comme une de mes arrière-grand-mères.

Pourquoi partait-on de Bretagne au moment de la Révolution ? J'ai grandi dans la rumeur de légende qui entourait mon ancêtre Alexis François, soldat de l'an 2 de la République, qui s'exila à l'île de France (plus tard Maurice). J'ai lu les lettres qu'il a écrites à sa mère, lorsqu'il était cantonné à Paris pendant l'automne 1792, après la bataille de Valmy. Dans une de ses lettres, il dit simplement : « La ville est tranquille. L'on attend le procès du ci-devant Roi qui n'échappera pas à la colère du peuple. » Il était un fervent républicain, partisan du fédéralisme, il s'était battu contre les Prussiens, et avait vu le visage horrible de la guerre, en tant qu'assistant d'un chirurgien qui coupait bras et jambes. À sa mère il écrit alors : « Par la faute de ce boucher il y aura diablement d'estropiés dans la jeunesse française. » Après 93 il détesta la révolte des chouans, et participa à la répression des royalistes au Morbihan. Mais il détesta aussi l'injustice que l'armée révolutionnaire exerçait dans cette province affamée et réduite à la misère. Dans un de ses récits (dictés plus tard à son fils, alors qu'il était à l'île de France), il raconte comment, jeune brigadier, il fut confronté à la violence de cette répression. Sa troupe parcourait la campagne du Morbihan à la recherche de blé pour approvisionner l'armée. Un paysan avait caché son blé sous une meule, et les soldats, l'ayant découvert, s'apprêtaient à pendre le coupable sans autre forme de procès. Mon aïeul s'interposa, arguant que l'armée révolutionnaire ne pouvait pas se conduire comme des brigands. Il convainquit les hommes de le laisser conduire le paysan au bourg voisin pour qu'il soit jugé par un tribunal. Arrivé devant le juge, il lui dit : « Vous pouvez pendre cet homme, mais alors vous devrez pendre tous les Bretons qui cachent leur blé pour pouvoir nourrir leur famille. » Le juge écouta mon ancêtre et laissa la vie au paysan. Quelque temps plus tard, François fut pris à partie par un soldat : « Citoyen brigadier, tu devras faire couper tes cheveux. » Les Bretons portaient en ce temps les cheveux longs liés en catogan (on disait : une queue). François tira son épée : « Celui qui voudra couper ma queue devra d'abord passer par mon épée. » Il ne lui restait plus qu'à s'en aller après cette sortie.

Tout cela, joint à la misère qui exténuait la Bretagne, convainquit mon ancêtre de s'exiler à l'autre bout du monde. La décision ne dut pas être facile à prendre. Partir pour l'île de France signifiait un voyage de plusieurs mois sur des mers dangereuses, avec la quasi-certitude de ne jamais revenir. Les adieux à sa mère et à sa sœur durent être dramatiques. Il voyageait avec sa jeune femme nommée Julie, âgée de vingt ans, et un bébé, une fille âgée de trois mois à peine. Son passeport décrit un jeune homme de vingt-six ans, mesurant cinq pieds six pouces, cheveux châtains, yeux bleus, visage marqué de la petite vérole. Sur une page du passeport il est indiqué qu'il voyage en compagnie de sa femme et de sa fille, et de deux serviteurs (des esclaves achetés sur les quais de Lorient), un cuisinier chinois et une lingère malgache. Le navire s'appelait le *Courrier des Indes*, un brick aventurier armé de douze canons. François fit construire une cabane sur le pont du navire pour lui et sa femme, et un appentis pour enfermer des poules et un cochon. C'était le début de sa vie nouvelle, mais j'imagine ce que lui et sa femme ont ressenti quand le navire quitta la rade de Lorient et passa devant la pointe de Gâvre. C'est cette décision qu'il a prise, au moment de la catastrophe de la Terreur, qui a fait que nous ne sommes pas nés en Bretagne, et que nous avons dû nous inventer d'autres racines.

Breizh atao !

Le cri de ralliement des Bretons est gravé dans le cœur de tous ceux qui ont hérité de ce passé (même si, comme moi, ils n'ont pas de terre). Il ressemble aux mots que l'acteur Sean Connery a fait tatouer sur son bras, *Scotland forever.* Il y a des gens pour en rire, ou pour hausser les épaules, comme si d'être breton empêchait d'être français, comme si cela était absolument contraire. Ou comme si tout cela appartenait à une époque révolue, et ne servait qu'à entretenir une vague et impuissante nostalgie. C'est vrai que les lieux que j'ai connus dans mon enfance ont changé, que la modernité a détruit le mode de vie, le décor et la culture ancestraux, et que la Bretagne s'est modelée irrémédiablement sur le schéma mondial : routes à grande circulation, zones industrielles, tourisme de masse, urbanisation incontrôlée. La nostalgie n'est pas un sentiment honorable. Elle est une faiblesse, une crispation qui distille l'amertume. Cette incapacité empêche de voir ce qui existe, elle renvoie au passé, alors que le présent est la seule vérité.

Le présent de la Bretagne, ce n'est plus à Sainte-Marine que je le trouve. C'est plutôt dans les zones pendant longtemps ignorées du tourisme, la côte des falaises de granite vers la pointe du Raz, et toutes ces pointes aux noms évocateurs, Luguénez, Kastel Koz, Brézellec, Leydé, Kermeur, le Van et, de l'autre côté de la baie, Morgat, Guénéron, Bellec, Talagrip, Pen-Hir, ces noms que ma mère aimait prononcer, Kermorvan, Corsen et celui dans lequel elle croyait entendre le rugissement de la mer sur les écueils, l'Aber Wrac'h. La douceur des champs de pommiers autour de Quimper, ou la joliesse des vallons près des villages, en Cornouaille, au pays de Léon, ou dans l'intérieur du Morbihan, près du Blavet ou de l'Ellé, le secret de la Laïta, cela n'a pas cessé d'exister, mais cela semble des îlots au milieu de l'urbanisation galopante. La zone côtière dans certains endroits est victime de ce qu'on appelle en géographie le « mitage » (l'exemple le plus évident serait dans le sud de la France, la Côte d'Azur ou le Var). À partir de la fin septembre, vers Saint-Guénolé, ou du côté de Saint-Nic, on traverse des zones complètement vides, où les maisons de vacances ont fermé leurs volets. Le sentiment qui vous envahit est celui de la désolation, de l'abandon. Il faut bien qu'ils soient endurcis, ceux et celles qui résistent à la tentation de fuir, et qui s'accrochent à leurs terres, à leurs fermes. Le remembrement a fait d'eux pour la plupart de grands exploitants, qui règnent sur des fermes de dizaines d'hectares, et qui s'occupent de nombreuses têtes de bétail. Ils ne sont pas pour autant des richards. Ils vivent au jour le jour, sans un instant de répit, pratiquement seuls, isolés les uns des autres. Au temps de la Révolution et des famines, ou pendant les guerres meurtrières du XXe siècle, ils ont résisté, ils ont choisi de rester. Le choix est aujourd'hui sans doute plus facile, mais non moins héroïque. Il faut résister non seulement aux difficultés matérielles, mais surtout à la pression affective, au dédain général dans lequel sont tenus les paysans. Il faut se marier. Les agriculteurs bretons ont du mal à trouver des conjoints. Un temps, l'Église catholique organisa des mariages. On fit venir des jeunes femmes mauriciennes. Elles ont apprécié la gentillesse et les qualités morales des Bretons, mais le climat les éprouvait, et beaucoup sont retournées dans leur île.

Aujourd'hui, c'est cette Bretagne qui m'émeut. Grâce aux agriculteurs, les beaux champs de blé de mon enfance courent encore jusqu'au bord de la mer. Je ne sais rien de plus beau qu'un champ de blé devant la ligne des dunes ou le long des falaises. Une simple haie de ronces et de fougères les sépare de la lande, comme un symbole entêté de résistance aux désordres de la mer et aux déserts pavillonnaires. On est reconnaissant au Conservatoire du littoral et à M. d'Ornano. Leur action a été bénéfique, mais il ne faudrait pas oublier le rôle que les Bretons ont joué eux-mêmes dans la sauvegarde du pays breton, d'une certaine idée de la nature, du respect du mystère. La préservation des monuments préhistoriques, l'entretien des chemins de traverse, le nettoyage des plages et le goût pour le maintien des bosquets ne sont pas le fait du hasard. Les habitants des villages n'attendent pas les subsides de l'État pour décider de cela. Étant revenu en Bretagne peu de temps après le remembrement des années 60, j'avais été consterné par l'insolence de la modernité, je croyais que tout était fini, que le paysage archaïque et délicieux allait disparaître à jamais. J'ai vu, année après année, au cours de mes séjours, les chemins creux se reconstituer, dans le pur enseignement de *Skol ar Kleuziou*, l'école des talus.

Les vieux murs de pierre sèche qui séparaient les parcelles, un moment fracturés, se sont ressoudés, le modèle ancien de la chaumière bretonne n'a pas été trahi, même si les murs sont en parpaings et les toits en ardoises espagnoles. C'est cette constance silencieuse, certains diraient cette obstination, qui est la véritable identité de la Bretagne, en Arvor ou en Argoat, le pays de la mer ou le pays des forêts, au-delà de tout folklore à l'intention du tourisme et de toute complaisance pour la couleur locale. La Bretagne de mon enfance n'était pas toujours charmante. Il y avait des tas d'ordures à l'entrée des villages, les routes étaient semées d'ivrognes et certaines maisons étaient d'une pauvreté insupportable. La Bretagne portait souvent les traces de la misère noire dans laquelle elle avait été plongée après sa mise en tutelle par l'État français, et les scènes que décrit le voyageur anglais Arthur Young qui visitait la région de Rennes un peu avant la Révolution semblaient toujours vivantes, mendiants en guenilles et vieilles femmes brisées par la décalcification. On pouvait trouver encore à Quimper la ruelle sordide où avait vécu Jean-Marie Déguignet. La Bretagne de mon âge mûr, et maintenant de ma vieillesse, a changé de visage, est devenue propre et pimpante, les fermes sont, grâce aux femmes, décorées de parterres de fleurs, les villages font des concours pour animer leurs ronds-points et leurs *krez ker*, leurs centres-villes. L'arrivée de l'agriculture biologique a redonné vie à d'anciennes exploitations rurales qui avaient été abandonnées. Des jeunes, garçons et filles, sans doute désillusionnés par la précarité dans les banlieues urbaines, ont décidé de changer de vie, ils redressent les vieilles pierres, utilisent le compost et refusent les semences industrielles. Ils le font sans forfanterie, ni ce côté militant et sectaire des écologistes de salon. Ils ont les mains rudes et le visage tanné par le soleil et le vent, ils sont les nouveaux aventuriers. Leurs enfants ressemblent aux garçons que nous avions rencontrés jadis, ces cousins éloignés des bords du Blavet, vêtus de peaux de mouton et portant les cheveux longs. Certains parlent à nouveau la langue bretonne (avec parfois un drôle d'accent, mais après tout c'est le propre des langues vivantes que d'évoluer). C'est en partie par eux que la Bretagne vivra.

Vers l'autonomie ?

Le récent référendum en Écosse sur la question de l'indépendance a réveillé un ancien fantasme en Bretagne. Et si l'on osait l'autonomie ? C'est dans l'air du temps : en Corse, au Pays basque français, aux Antilles, à La Réunion ou en Polynésie, la question se pose, parfois avec urgence. La Bretagne a, par rapport à ces territoires et ces anciennes colonies, l'avantage extraordinaire d'avoir été, pendant la plus grande partie de son histoire (neuf cents ans), un État indépendant et souverain. Faut-il le rappeler (cela ne figure dans aucun manuel d'histoire des écoles), les Bretons n'ont pas perdu leur indépendance par le fait des traités, ni par une consultation populaire. Le 28 juillet 1488, le jour de la Saint-Samson, patron de la Bretagne, les troupes bretonnes, sous les ordres du duc François II, aidées par les volontaires basques et par les archers anglais, ont affronté l'armée du roi de France sur les marches de Bretagne, sur l'ancienne frontière, non loin de la forteresse de Saint-Aubin-du-Cormier, près de Rennes.

Ce qui est mentionné par les chroniqueurs du temps

comme la Guerre folle fut en réalité une vraie grande bataille rangée qui coûta la vie à plus de cinq mille soldats et anéantit une grande partie de la noblesse bretonne. Elle eut lieu dans un endroit nommé encore aujourd'hui la lande de la Rencontre, une pente boisée non loin de la lande d'Ouée. Un simple hasard stratégique provoqua la défaite de l'armée du duc de Bretagne : ses soldats tenaient le haut du terrain, mais ils faisaient face au soleil. Après une longue journée de combat acharné, les Bretons durent battre en retraite et se réfugièrent dans le bois où ils furent massacrés. Leur défaite ouvrait grand une brèche dans la défense de la Bretagne, et bientôt le gouvernement du duché, assiégé à Rennes, dut capituler. Après la mort de François, la duchesse Anne, âgée de douze ans à peine, dut se soumettre au roi de France afin d'épargner le peuple breton. Elle fit partie du butin en quelque sorte puisqu'elle fut contrainte deux ans plus tard d'épouser le vainqueur, le roi Charles VIII, acte par lequel, étant donné la loi salique, elle renonçait à tout pouvoir sur son domaine. La dernière souveraine de la Bretagne fut aussi une remarquable reine de France. Fidèle à l'éducation qu'elle avait reçue de son père, elle ouvrit sa cour aux artistes et aux lettrés, et, quoi qu'on dise, sut protéger la Bretagne du pillage. Elle devint par la suite une figure emblématique, et démontra son amour pour son pays natal en demandant qu'après sa mort son cœur soit enfermé dans un réceptacle d'or et mis en terre dans le tombeau de ses parents, à Nantes.

La perte de l'indépendance ne fut pas seulement un changement de régime. On peut imaginer que, pour la plupart des Bretons, la soumission au pouvoir central français ne signifiait pas grand-chose. L'identité bretonne avait peu de rapport avec la puissance de la noblesse. Comme dans les autres provinces, les manants et les ouvriers n'avaient pas de relations avec leurs maîtres. Le servage n'existait plus, mais la politique élaborée à Nantes ou à Rennes ne concernait pas la vie quotidienne de ces gens. Ils savaient qu'ils étaient bretons, ils vouaient un culte à leurs saints et le respect à l'autorité des religieux, mais ils auraient été étonnés d'apprendre que ni le duc ni la petite duchesse Anne ne parlaient la langue bretonne.

Ce qui changea pour eux, ce fut l'économie. Jusque-là, du fait de son indépendance, la Bretagne avait choisi de commercer avec toutes les nations de l'Europe, principalement avec l'Angleterre, l'Espagne et l'Italie. La Bretagne fournissait le matériel des bateaux, les cordages, les voiles, et en échange recevait du vin ou des parfums. Ce fut pendant la fin du Moyen Âge l'origine de la prospérité des bourgs bretons, à Vannes, à Quimper, puis plus tard à Locronan. La défaite de Saint-Aubin-du-Cormier sonna le glas de cette prospérité, et la Bretagne dut renoncer à son indépendance commerciale et survivre dans un statut colonial. À cette dégradation du commerce s'ajoutèrent la levée des taxes pour le roi de France, les impôts sur le sel, sur les denrées importées. À la veille de la Révolution, le territoire autrefois prospère était devenu la région la plus pauvre de France – et il le resta jusqu'aux temps modernes.

On ne récrira pas l'Histoire. L'avènement de l'Europe permet d'envisager un élargissement des relations commerciales.

Les Bretons, dans leur ensemble, n'ont pas soutenu la tentation populiste et antieuropéenne des partis extrémistes français. En dépit du nom de son fondateur, le Front national ne recueille pas la sympathie, et ses thèses racistes et xénophobes ont été repoussées avec dégoût par la population, malgré les difficultés économiques. De fait, la Bretagne a une longue tradition d'ouverture aux autres, peut-être parce que la transplantation et l'exogamie font partie de ses gènes. C'est une des rares régions de France à soutenir la cause palestinienne (à Quimper, il y a même une rue de la Palestine), et à avoir affirmé la justesse du combat des Touaregs pour leur liberté. Pour sa politique intérieure, la Bretagne semble plus réservée. Le retour à l'indépendance ne suscite pas beaucoup d'enthousiasme, peut-être parce qu'il s'agit d'un débat du passé, et que les Bretons sont viscéralement attachés à l'idée de République. Seule une vraie autonomie, fiscale et économique, permettrait à la Bretagne de retrouver sa place. Est-elle envisageable ? La condition de nation soumise n'est pas favorable à l'esprit d'aventure. En Bretagne, comme dans les autres territoires annexés par le pouvoir central, le lien de dépendance est difficile à rompre. On peut en rêver, comme d'un avatar de l'Histoire, dans lequel un peuple uni par un passé commun pourrait recommencer d'exister, trouverait des solutions propres aux problèmes contemporains. Il ne s'agit pas de nationalisme, dans le sens étroit de ce mot, qui donnerait une sorte de privilège du sang à tous ceux qui seraient issus de la bretonnité. Mais plutôt d'une liberté – celle d'administrer le Trésor public, de décider des engagements et des traités avec les voisins, de construire ses programmes sociaux, d'inventer son avenir écologique et culturel.

L'écrivain Michel Mohrt, Breton de Morlaix, auteur du magnifique roman *La Prison maritime,* n'y croyait guère. Il me disait que, selon lui, ce qui avait manqué à la Bretagne, c'était d'avoir une littérature. Il ne tenait pas compte des anciens bardes ni de la somme du *Barzaz Breizh* de Théodore Hersart de La Villemarqué – ni des vrais écrivains de la Bretagne moderne comme Louis Guilloux, Per-Jakez Hélias ou Anne Pollier. Mais au même moment, il confessait qu'il ne pouvait entendre sans émotion les paroles de l'hymne breton (traduit d'ailleurs du gallois), le célèbre *Breizh bro koz ma zadou,* « Bretagne vieux pays de mes ancêtres », qui est entonné chaque fois qu'une occasion solennelle le demande. Il aimait aussi le *Gwenn ha Du,* le drapeau décoré de ses neuf bandes blanches et noires symbolisant les pays de Bretagne, portant à l'angle les queues d'hermine héraldiques du duché. Ce sont les couleurs des bannières qui flottèrent il y a cinq cents ans, avant l'affrontement tragique de Saint-Aubin-du-Cormier.

Un héros breton

Comme beaucoup d'enfants de ma génération, j'ai grandi dans l'illusion que la Bretagne était le pays de la mer – peut-être avions-nous cru que les vrais héros de la Bretagne étaient ces marins fameux et courageux, de Surville, Duguay-Trouin, Tromelin, Kerguelen, Huon de Kermadec, etc., même si certains d'entre eux n'étaient pas recommandables, tel Robert Surcouf qui s'était enrichi dans la traite des esclaves. Aujourd'hui encore la Bretagne est célébrée pour son culte de la mer, et pour ses navigateurs solitaires comme Isabelle Autissier et Éric Tabarly. Mon frère et moi avons été déçus d'apprendre que nos ancêtres n'étaient ni marins ni pêcheurs, mais de simples paysans du Morbihan, attachés à cette terre aride où ils cultivaient les céréales et élevaient le bétail. L'endroit où ils ont vécu depuis toujours – depuis le VIe siècle, lorsque l'invasion saxonne a poussé les Bretons hors d'Angleterre et les a conduits en Armorique – n'est pas prestigieux, ni romantique. C'est une campagne verte et sombre, sillonnée de vallons étroits, où les fermes ressemblent à des forteresses, et les fours à pain à des igloos de pierre. Les gens qui vivent là n'ont rien à voir avec la mer, pendant des générations ils l'ont ignorée. Peut-être que la mémoire de l'exode à travers la mer du Nord sur de simples barques à rames, emportant avec eux leurs enfants et les animaux de la ferme, les avait guéris pour longtemps de toute tentation d'aventure.

Dans mon enfance, au temps de Sainte-Marine, j'avais choisi mon héros, ce simple pêcheur de crevettes, qui était aussi un aventurier et un peintre du dimanche. Il ne parlait jamais de ses voyages. Je me souviens de la force de ses mains endurcies par le maniement des avirons et les cordages qui hissaient les casiers. Je me souviens aussi de la douceur de sa femme Catherine, qui l'a accompagné et soutenu tout au long de sa vie.

Maintenant, après toutes ces années, c'est d'un autre héros que je voudrais parler. Un homme de la terre, qui m'unit à la longue lignée des paysans bretons à laquelle j'appartiens. Il s'appelle Hervé. C'est un homme de mon âge, qui a connu les mêmes évènements, la fin de la guerre, le changement d'époque, la guerre d'Algérie. En lui parlant, je découvre peu à peu une Bretagne que je ne connaissais pas.

Je me souviens d'une excursion faite avec mes parents, quand j'avais dix ans, sur cette côte nord de la Cornouaille, à Douarnenez. Je me rappelle très bien la descente vers la mer, l'arrivée au port, la longue digue de ciment, les bâtiments des mareyeurs et des conserveries. Les ports de pêche, au sud, Lesconil, Le Guilvinec,

Loctudy, n'étaient pas des villégiatures de touristes. Ils étaient encore en activité, avec les chalutiers et les pêcheurs vêtus de pantalons rouges et de suroîts. Mais l'arrivée à Douarnenez fut un choc : peut-être parce que cette ville regardait vers le nord, il y avait quelque chose de glacial, d'hostile dans ses rues étroites, sur les quais, et jusque dans la couleur de l'eau. Le choc venait surtout des habitants, cette foule compacte, obscure, vestes sombres, casquettes de marins. C'étaient des ouvriers plutôt que des pêcheurs. D'eux, et de leur ville, émanait une expression de dureté, de résistance. C'étaient, bien sûr, des communistes, non pas de ce gauchisme élégant de la région parisienne, mais d'un militantisme silencieux et entêté, tel que l'a montré le cinéma réaliste italien, dans les films de De Sica, de Fellini. La foule sur la plage dans *La terre tremble* de Visconti, dans *Rome, ville ouverte* de Rossellini. Même les femmes de Douarnenez leur ressemblaient, les *penn sardin* vêtues de leurs uniformes noirs et coiffées de leurs petits bonnets, l'air fermé, endurci. Elles travaillaient aux usines Chancerelle, au Petit Navire, penchées sur les tables à éviscérer les poissons et à les ranger dans leurs petites boîtes. Vingt ans après, tout cela a disparu. La pêche s'est arrêtée, les usines ont fermé, les maisons gris ciment ont été repeintes en couleurs, dans les bars de la place de l'Enfer on écoute du jazz (et on ne s'y bat plus à coups de couteau comme le racontait Georges Perros), il y a des magasins de souvenirs et des pizzerias, et le port est devenu un musée. Les chalutiers font encore escale à Douarnenez, mais ce sont pour la plupart des bateaux-usines venus d'Irlande ou du Portugal, qui s'arrêtent le temps de décharger leur pêche dans des bacs de glace, qui sera ensuite emportée par des camions réfrigérés vers les quatre coins de l'Europe.

Ce n'est pas par goût pour la nostalgie que je voudrais reprendre cette histoire, en abouter les segments, retrouver le courant de la vie. C'est pour rendre compte de la magie ancienne, la voir apparaître à travers le reflet illusoire du présent. Hervé, cet homme dont je fais mon héros, doit ressembler trait pour trait à mes lointains ancêtres des bords du Blavet, je l'écoute me parler de son enfance dans une ferme du bord de mer, dans la commune de Poullan. Il en parle en hésitant, en choisissant ses mots, parce qu'il doit les traduire de la langue bretonne dans laquelle il est né. Il parle de la dureté de l'hiver, du travail aux champs, des difficultés, du manque d'argent. Il en parle aussi comme d'années de bonheur, parce que, contrairement aux pêcheurs et aux ouvrières de Douarnenez, ils étaient libres. Quand il parle des fêtes de son enfance, son visage s'éclaire : c'étaient des moments de liesse, on buvait, on s'amusait, on partageait avec la famille et les voisins la bonne chère (le cochon grillé, les crêpes et le cidre chaud). Les mariages coûtaient cher, parfois pour financer le festin il fallait que le paysan vende une parcelle de terre. Les mauvais coups du sort ne manquaient pas non plus, quand il fallait payer le médecin. Tout cela appartient au temps jadis, mais ceux de ma génération s'en souviennent. Il y avait aussi les tempêtes, *bar-amzel.* Hervé me montre la grande pierre en équilibre à la pointe de la Jument, devant la mer, *Karreg-sonn,* la Roche qui chante, qui vibrait d'une certaine façon quand elle annonçait un naufrage. La légende des naufrageurs, que j'ai entendue souvent quand j'étais gosse, n'a pas d'autre origine. L'histoire des lampions accrochés aux cornes des chèvres le long de la côte, pour tromper les marins, le fait bien rire. A-t-on seulement essayé d'accrocher une lampe à une chèvre dans une tempête ? Lorsque la pierre sonnait, tous les habitants du quartier descendaient la falaise pour voir ce que la tempête leur avait apporté. Un des naufrages qui est resté dans sa mémoire avait drossé sur la plage de galets une énorme barrique de vin, et chaque nuit les gens du voisinage allaient remplir leur litron en cachette des douaniers.

J'aime écouter Hervé parler de la magie du lieu. Quelque chose du mystère de la Bretagne s'est transmis ici, est resté vivant malgré la modernité. Cela passe par certains hommes, certaines femmes, héritiers de traditions ancestrales, peut-être parce qu'ils ont été éduqués par la terre, par le vent et les saisons plutôt que par l'école communale. Muni d'un bâton fourchu, Hervé est capable de sentir la présence de l'eau dans le sol, et de choisir l'endroit où l'on doit creuser un puits. Sa grand-mère lui a légué ce don, elle était elle-même une rebouteuse, spécialisée dans l'éradication des verrues et des maladies de peau. Il garde un lien avec la nature, il ressent les changements du temps, les menaces d'ouragans, il interroge la mer, l'horizon. Comme les héros du roman de Stevenson, il est capable de s'émouvoir de la beauté de la lande, lorsque les bruyères fleurissent, ou d'écouter la musique que font les ruisselets après la pluie. Parler la langue bretonne, ou rêver d'un avenir politique pour la Bretagne, ce n'est pas ce qui est important pour lui. Il est de ce pays, naturellement, sans orgueil, sans plainte, aussi vrai que les rochers et les chênes, que les goélands et les chevreuils – ou les lapins de garenne à qui il réserve toujours une part de ses récoltes. Grâce à son travail, et au savoir-faire de son épouse Marie-Ange, la maison où ils se sont retirés, après toutes ces années de dur labeur, est une oasis fleurie au milieu de la lande.

C'est à eux que je voudrais dédier ce petit conte, non comme une confession ou un album de souvenirs, mais comme une chanson bretonne, un peu entêtée et monotone, de celles que dit encore dans les tempêtes la Roche qui chante, ou de celles, j'imagine, que mes ancêtres ont répétées jadis en frappant la terre du pied, dans la chaleur des fêtes de nuit, avec le fond sonore aigrelet du biniou et de la bombarde, et que le vent a emportées.

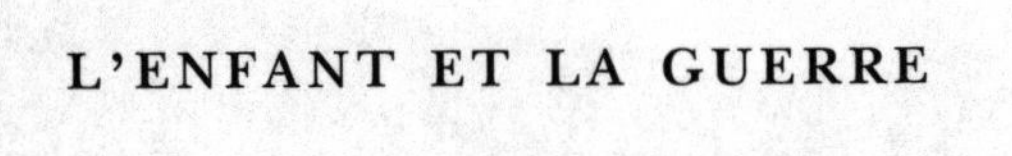

L'ENFANT ET LA GUERRE

ROQUEBILLIÈRE (A.-M.). — Baraquements de Sinistrés et Clocher de l'Église des Templiers.

Pour la France, la Seconde Guerre mondiale a commencé le 3 septembre 1939. Je suis né à Nice le 13 avril 1940. Les cinq premières années de ma vie, je les ai vécues dans une guerre. Pour moi cette guerre – toutes les guerres – ne peut pas être un évènement historique. Je ne peux pas la comprendre comme un fait, dont j'analyserais les causes, dont je déduirais les conséquences. Je ne peux pas en parler objectivement, la relier à une situation politique ou morale, en faire un argument, en examiner le caractère inéluctable, en tirer les leçons philosophiques. Pour en parler, je n'ai aucun recul. Seulement des sentiments, des sensations, ce flux mouvant qui porte un enfant entre le jour de sa naissance et le tout début de sa mémoire consciente, à l'âge de cinq ou six ans.

Il ne s'agit pas d'écrire des souvenirs d'enfance. D'autres ont fait cela, beaucoup mieux que je ne saurais le faire. Et puis, avec une certaine vanité, j'ai fait mien le motto du poète Isidore Ducasse, comte de Lautréamont, dans *Poésies* : « Je n'écrirai pas des mémoires. »

Comment en parler ? Peut-être simplement dire que la guerre est la pire des choses qui peut arriver à un enfant. La vie moderne nous a habitués aux images de la destruction. On les voit à chaque instant, aux actualités télévisées, à l'heure du déjeuner, ou dans de grands reportages. Elles s'étalent à la une des quotidiens, elles font la couverture des magazines. Images choquantes, violentes. Une petite fille court toute nue sur une route, entourée de passants, elle fuit un bombardement au napalm effectué par un militaire américain, qui ne s'en soucie pas dans la cabine de son chasseur à trois mille mètres d'altitude. Sur des photos en noir et blanc, prises par un amateur, après le bombardement de Berlin, des enfants errent en haillons, sur fond de ruines fumantes. Dans cette imagerie de la guerre, il n'y a pas de bons ni de méchants. Il n'y a pas d'ennemis. Il y a d'un côté des enfants, de l'autre la machine aveugle et féroce, aux mains d'adultes que leurs uniformes et leurs armes mettent à l'abri de toute identification.

Les enfants ne savent pas ce qu'est la guerre. Je ne me souviens pas d'avoir entendu ce mot, tout le temps qu'elle a duré, ni même dans les années qui ont suivi. Pour eux, tout ce qui arrive est normal, ils ne se doutent pas que leur vie pourrait être autrement. Ils ne s'en doutent pas, parce que les adultes autour d'eux n'en parlent pas, sauf pour dire des choses incompréhensibles, des « on dit… », des « il paraît… » à demi-mot, pour ne pas effrayer, mais le silence est sans doute plus effrayant. Je ne me souviens pas d'avoir entendu le mot, mais je me souviens qu'il se passait quelque chose. Ailleurs, dehors, dans la rue. On ne pouvait pas sortir. On ne pouvait pas regarder par la fenêtre. Il y avait une menace, une interdiction, invisible et présente, il fallait rester derrière les murs, à l'abri. Était-ce très différent d'une enfance en temps de paix ? Je l'ignore. Peut-être. Je peux imaginer qu'il y avait une sorte de peur extérieure, non pas la peur qu'on peut ressentir à l'arrivée d'un orage violent, ni celle qu'on peut éprouver dans une situation imprévue, si quelqu'un frappe à la porte, si quelqu'un menace. Le genre de peur qu'entretiennent chez les enfants les histoires de démons ou de sorcières, les contes dans lesquels les loups rôdent alentour, les contes évoquant des légendes de cabanes dans la forêt, d'ogres et de sorcières. Les enfants devinent l'imaginaire. Ils l'aiment parce qu'il est parfois délicieux d'avoir peur. Pour l'enfant que j'étais dans la guerre, ce n'était pas une histoire de loups ou de sorcières. C'était une peur sans visage, sans nom, sans histoire. Ce n'était pas délicieux. Cela ne l'a jamais été.

Le premier souvenir de ma vie est un souvenir de violence. Il remonte à la fin de la guerre, et non au début. C'est un souvenir tellement fort que je ne peux douter de l'avoir vécu. Je suis dans la salle de bains de l'appartement de ma grand-mère, au sixième étage d'un immeuble du boulevard Carnot, à Nice, au-dessus du port. La salle de bains est alimentée en eau chaude par un chauffe-eau à gaz. Je sens l'odeur du gaz parce que l'engin a toujours un retard à l'allumage, et le gaz a une odeur forte, piquante, que je connais bien.

Le chauffe-eau est allumé, je suppose que ma grand-mère est en train de préparer son bain, en y pensant aujourd'hui, j'imagine que c'était la fin de la matinée, parce qu'elle ne se lève jamais avant. Le bain a quelque chose de cérémoniel. C'est la guerre, mais le gaz arrive encore, et nous sommes dans ce petit appartement mansardé, quelque peu entassés, mon grand-père, ma grand-mère, ma mère, mon frère et moi. L'année précédente, nous avons fui la Côte pour nous réfugier dans la montagne. Puis nous sommes revenus à Nice, peut-être pour que ma grand-mère réunisse de l'argent, des vivres, des habits. Nice est occupée par les Italiens, mais l'armée allemande est en train d'arriver. Tout cela je ne le sais pas, mais je puis le déduire des faits historiques. Le choc de la bombe est terrible. Je n'ai pas le souvenir du bruit. Je me souviens seulement de l'onde qui fait bouger le sol de la salle de bains, de mes pieds qui quittent le sol et du cri qui s'échappe de ma gorge. Ces sensations ont lieu en même temps, le choc, le tremblement de terre, la chute et mon cri. Plus tard, à l'âge adulte, j'ai vécu un grand tremblement de terre, à Mexico, en 85. Cette sensation étrange que la terre devient liquide, que plus rien n'est assuré, que tout peut disparaître. Pourtant, il y a une différence : lorsque la bombe explose, je suis un enfant, qui ne peut pas mettre de mots sur ses émotions. Je ne pense pas : « Tiens, une bombe ! » comme j'ai pensé au Mexique : « Un tremblement de terre ! » Je ne pense à rien. Je suis tout entier dans mon cri. C'est un cri si strident que j'ai l'impression, en essayant de m'en souvenir, qu'il ne sort pas de ma gorge. Il sort du monde entier. Il se confond avec le bruit de la détonation qui enfonce mes tympans. Il fait un avec mon corps. C'est mon corps qui crie, pas ma gorge. Je n'ai pas choisi ce cri. Je n'ai pas choisi cet instant. C'est cela la guerre pour un enfant. Il n'a rien choisi.

La bombe qui est tombée dans le jardin de l'immeuble de ma grand-mère a soufflé toutes les vitres du quartier. Elle a lézardé le mur de la cage d'escalier. Elle a éteint le chauffe-eau. Je n'en sais rien mais j'imagine que ma grand-mère s'est précipitée vers la salle de bains, pour voir si j'allais bien, si je n'avais pas été blessé par les éclats de verre. Pour couper le gaz aussi, parce que le souffle avait dû éteindre la flamme du chauffe-eau. Peut-être qu'elle a commencé par là, qu'elle a d'abord coupé le gaz, puis elle s'est occupée de moi. Les adultes ont ce genre de comportement. Ils sont logiques. Bien sûr la guerre, c'est leur affaire. Ils connaissent toutes les recettes, ils savent ce qu'il faut faire en cas de bombardement, de tremblement de terre. Ne pas paniquer. Les gestes utiles. Ma grand-mère était une femme forte. Elle n'avait pas facilement peur. Elle avait traversé la Grande Guerre, une époque horrible et terrible, durant laquelle elle avait écouté les obus tirés par le plus grand canon du monde, installé par les Allemands sur la rive droite de la Marne, filer dans le ciel vers Paris.

La bombe qui est tombée dans le jardin de l'immeuble de ma grand-mère a fait un grand bruit, un bruit épouvantable, a pulvérisé tous les carreaux. C'était une bombe de 277 kilos. Dans les bombardements, aujourd'hui, l'aviation américaine (anglaise, française, ou de n'importe quel pays) lâche sur les civils des bombes de 2 000 kilos. Il m'arrive souvent de penser aux enfants qui sont sous ces bombes, en Irak, en Afghanistan, en Syrie, en Libye, en Palestine, au Liban. Les enfants qui, comme je l'ai été, sont dans la salle de bains de leur grand-mère, en train de regarder l'eau emplir la baignoire. Ou qui sont tout simplement chez eux, en train de jouer avec un petit camion, avec une poupée, avec un gobelet en plastique. Ou qui sont dans la cour à regarder leur maman étendre le linge qu'elle vient de laver. Si la bombe canadienne qui a enfoncé mes tympans a causé tous ces dégâts, quel souvenir vont-ils garder de ces bombes modernes, si lourdes, si efficaces, ces bombes conçues pour percer le béton et atteindre l'ennemi jusqu'au troisième sous-sol ? Comment peuvent-ils s'en remettre ? Même s'ils ne sont pas blessés, même s'ils n'entendent pas une seule, mais dix, vingt explosions, même s'ils savent de quoi il s'agit, qu'on leur dit : « C'est la guerre. » Comment en guériront-ils ?

Cette bombe canadienne (je n'en sais vraiment rien mais j'ai imaginé par la suite qu'elle pouvait être canadienne, parce que l'aviation canadienne a commencé l'invasion en France par des bombardements, surtout dans les régions portuaires, à Saint-Malo, à Brest, à Dunkerque, et aussi à Toulon, à Marseille – donc à Nice) marque pour moi le début de la violence. Jusque-là, les gens de Nice sont restés relativement à l'abri. Nice, c'est la Côte d'Azur, le soleil, les villégiatures, les jolies femmes qui se baladent sur la jetée-promenade, en hiver enveloppées dans leurs visons. Jusque-là, la guerre c'est ailleurs. C'est à l'autre bout de la France, sur le « front ». Puis du mauvais côté de la ligne de démarcation, en territoire annexé par l'Allemagne. Du côté sud – à Nice, à Cannes, à Antibes, et jusqu'à Toulon, en passant par Saint-Tropez ou Ramatuelle –, c'est le « bon côté » du conflit. Là où les riches artistes, les écrivains, les cinéastes ont trouvé refuge. Sur les photos des années 40, on voit ces beaux messieurs et ces jolies dames qui se promènent sur la promenade des Anglais. Les photographes à la sauvette gagnent leur vie en faisant des clichés de ces heureux, de ces nantis. Je n'ai pas vu de clichés de ma grand-mère, mais elle pourrait très bien en faire partie. C'est une belle femme, à la mode des années 1900, robe longue, chapeau cloche, manteau de fourrure, escarpins noirs. Un peu avant la guerre, elle et son mari ont décidé de s'installer à Nice. Ils ont tout perdu à Paris – non pas à cause de la défaite, mais plutôt à cause du Front populaire, de la crise financière de 1931, de l'extension du moratoire sur le paiement des loyers. Ils ne l'avaient pas prévu, ils avaient emprunté aux banques. Les banques ne font pas de sentiment, elles ont exigé d'être payées, mais les loyers ne permettaient plus de rembourser les agios. Il a fallu vendre à perte, s'en aller. Comme beaucoup de gens ruinés, ma grand-mère a choisi Nice, parce qu'il y a le soleil, la mer, et les loyers étaient restés bas. Et puis mon grand-père, mauricien, en avait assez de Paris où le soleil, disait-il, ressemble à un pain à cacheter.

Donc la guerre, mais à Nice, cela ressemble à une guerre d'opérette. L'armée d'occupation est italienne. Les Italiens sont gentils, c'est connu. Ils ont leurs jolis costumes, leurs chapeaux à plume de coq. Ma mère est une belle fille blonde, elle charme les Italiens. Ils lui portent ses courses dans la rue, quand elle grimpe le boulevard Carnot. Ils sont galants. Même lorsque nous partons pour la montagne, nous n'avons pas le sentiment de vivre des choses très dangereuses. Il est encore possible de circuler sur les routes, d'aller et de revenir.

C'est alors que l'avion canadien lâche sa bombe. Il vise probablement les installations portuaires, la grande jetée, les grues, les canons d'artillerie que les Allemands ont installés le long de la côte. Il rate son coup, la bombe en planant s'écarte de sa trajectoire et tombe dans le jardin de l'immeuble de ma grand-mère. Je dis que la bombe marque pour moi le commencement de la violence parce qu'elle frappe un coup de tambour, un coup de gong, un coup de semonce. Elle vient dire à ma mère, à ma grand-mère, à tous les gens comme nous : « Ça y est. On y est, on ne fait plus semblant. »

Lorsque je parle de coup de tambour (une bombe pourrait plus justement être comparée à un coup de tonnerre), je veux dire que littéralement ce fracas a changé quelque chose dans nos vies (ma grand-mère, ma mère et les enfants). Jusque-là nous avions vécu dans l'illusion que, en franchissant la ligne de démarcation et en nous installant à Nice, la guerre ne nous retrouverait pas.

Mais la guerre arrive à Nice. Les Anglais, les Américains, les Canadiens ont commencé à mettre en action leur plan d'invasion de la France. Les Allemands ont franchi la ligne de démarcation, ils ont décidé de s'occuper du Sud. Ils n'ont pas confiance dans les Italiens. Ils ont décidé de s'occuper de tous ces gens qui ont fui au soleil, des transfuges, des riches. Ils ont décidé de s'occuper des Juifs. Pourquoi nous ?

Nous ne sommes pas juifs. Nous ne sommes pas riches. Nous ne devrions rien craindre. Mais nous sommes citoyens britanniques, par mon père, par mon grand-père. Les Mauriciens, à cette époque, cela n'existe pas. Nous appartenons à la nation que les Allemands détestent le plus. Quand je suis né, mon père a demandé à ma mère que je sois déclaré au consulat des États-Unis, puisqu'il n'y avait plus de représentation britannique à Nice. Le consul des États-Unis est irlandais, il s'appelle O'Gilvy. Il connaît mon père et ma mère. C'est lui qui prévient ma mère : « Les Allemands arrivent. Il faut partir, vous cacher quelque part, vous risquez la déportation en camp de concentration, vous et toute votre famille. » C'est assez ironique, compte tenu que ma grand-mère, comme beaucoup de Français à l'époque, déteste les Anglais. Mais les Allemands ne feront pas dans le détail. Ils déporteront tout le monde. Nous irons dans les camps.

Le refuge, c'est le petit village de Roquebillière, dans l'arrière-pays niçois, dans la vallée de la Vésubie. Pourquoi ma mère, ma grand-mère choisissent-elles ce village ? Qui le leur a conseillé ? Le choix a-t-il quelque chose à voir avec celui de Saint-Martin, lui aussi dans la vallée de la Vésubie, qui accueille à la même époque (en avril 43) une partie de la communauté juive de Nice ? Est-ce que les habitants de ces villages ont fait preuve de compassion ? Plus tard, ils se montreront très généreux envers des migrants clandestins venus d'Italie. Accueillir des fugitifs au moment où l'armée allemande entre en Provence, c'était faire preuve de courage et de détermination. Les habitants de ces villages, à Roquebillière ou à Saint-Martin, couraient le risque de représailles, les hommes qui restaient pouvaient être déportés eux aussi, envoyés vers les camps. Ce qui est plus remarquable, c'est que dans ces deux villages de la Vésubie, la solidarité a été totale. Il n'y a pas eu de dénonciation, ni même d'objection. Tous les habitants, sans exception, ont soutenu les fugitifs. Notre famille d'accueil, à Roquebillière, a ouvert le premier étage d'une maison, dont le rez-de-chaussée était utilisé comme remise, pour accueillir cette famille de fugitifs, deux femmes, un vieillard, et deux petits enfants. Des Britanniques, c'est-à-dire des ennemis de l'occupant. À Saint-Martin, les mêmes montagnards ont accueilli les familles juives, les ont logées dans leurs maisons, les ont aidées à vivre, alors que tout était difficile. Nous devons, sans doute, d'avoir survécu à leur héroïsme sans faille et sans emphase.

Les enfants, évidemment, n'en savent rien. Le déménagement a dû se faire en camionnette – pas question de circuler sur les routes de montagne avec la voiture de ma grand-mère, une De Dion-Bouton jaune paille, reste de sa fortune passée, qui aurait attiré l'attention des espions. Dans ces circonstances, qu'est-ce qu'on raconte aux enfants ? Nous partons en voyage, en vacances, c'est tout. Nous ne laissons pas d'adresse, cela est trop risqué. Mon père, à huit mille kilomètres de là, en Afrique, ne sait rien. Ou peut-être est-il prévenu par le canal diplomatique américain, par Mr O'Gilvy, sans mention d'endroit. Votre famille est en sécurité. Est-ce à ce moment-là qu'il songe à nous rejoindre en France, pour nous aider à passer en Angleterre ? Il remonte le Nigeria jusqu'à Kano, embarque à bord d'un camion qui traverse le Sahara, espère prendre un bateau d'Alger pour nous retrouver dans le sud de la France. Puis se heurte au refus d'un officier français des Forces libres restées en Afrique du Nord qui lui refuse le passage, parce qu'il est anglais et que les Anglais ont coulé la flotte française à Mers el-Kébir. À moins que ce ne soit ce refus qui ait motivé le départ de ma mère et de ma grand-mère vers l'arrière-pays niçois, afin d'échapper aux Allemands. Dans un pays défait comme la France en 40, il n'y a plus de solidarités, plus de lois, plus de dignité. C'est le règne des vengeances, des compromis. Les anciennes rancœurs troublent les yeux, ceux qui pourraient encore faire quelque chose, s'insurger, prendre les armes, se trompent d'ennemi. Plutôt que d'aider un Anglais, ils se rangent derrière le vainqueur, lui prêtent main. Cela explique peut-être la défaite.

Est-ce que je pourrais dire, comme Radiguet au début du *Diable au corps*, que la guerre fut pour moi (pour les enfants) quatre ans de grandes vacances ? Nous étions bien trop jeunes pour imaginer la chance que cela représentait pour des adolescents d'être les seuls hommes disponibles. Nous avons vécu, c'est vrai, dans un pays où il n'y avait pratiquement que des femmes, et où les seuls hommes étaient des enfants ou des vieillards. Pour nous, est-ce que cela changeait quelque chose ?

J'ai grandi, les premières années de ma vie, sans mon père, qui était médecin en Afrique-Équatoriale. Nous savions qu'il existait, ma mère entretenait une sorte de rituel chaque soir, où elle nous invitait à faire une petite prière pour « papa », qui se languissait de nous voir. C'était un peu abstrait. Ce « papa » aurait pu aussi bien être « papa Noël ». Il n'écrivait pas, il n'envoyait pas de photos. Il aurait pu être en prison, ou bien ne pas exister du tout. Est-ce que cela nous manquait ? Comment savoir ? Peut-on regretter l'absence de quelqu'un qu'on ne connaît pas ?

Mais d'avoir passé les premières années de mon existence au milieu de femmes a certainement changé l'idée que je peux avoir d'une guerre. Même aujourd'hui, alors qu'on sait tout ce que cette période a coûté en vies humaines, en argent, en ressources, dans l'esprit collectif la guerre garde une certaine noblesse. On vante l'héroïsme des uns, l'astuce des autres, le génie des grands capitaines, la valeur que ces années terribles révèlent chez les hommes. On ne parle pas des femmes ni des enfants. Ou, si l'on en parle, c'est pour déplorer les pertes humaines, les massacres de civils, les horreurs. On a inventé récemment un mot pour cela : les dommages collatéraux. Cela veut tout dire : les femmes, les enfants sont des éléments collatéraux de la guerre, on comptabilise, on dénombre leurs blessures et leurs morts comme on pourrait le faire de pertes de bétail, de destructions d'immeubles, du pillage des réserves d'or ou des provisions de bouche. Ils ne sont pas des victimes, ils sont des « dommages ». Ils ne seront jamais des héros. Les héros, comme l'écrit le narrateur de *For Esmé – With Love and*

Squalor, la merveilleuse nouvelle de Jerome David Salinger, il faut les chercher plutôt chez les grandes gueules, comme cet Hemingway qui fait battre le tambour pour annoncer son entrée au mess des officiers, en Angleterre, et que le simple soldat regarde avec effarement.

Vivre la guerre au milieu des femmes, c'était à la fois inquiétant et très doux. Inquiétant parce que les femmes (même les femmes fortes comme ma grand-mère) n'avaient pas de contrôle sur ce qu'il se passait dehors. Elles étaient soumises à la guerre comme elles pouvaient l'être, à cette époque, à l'autorité absolue des hommes. Je ne m'en suis certainement pas rendu compte – mais les enfants, même tout petits, devinent ce qu'on leur cache, et ressentent instinctivement qu'on leur ment. Il y avait une menace, mais d'où venait-elle ? Du dehors certainement, puisqu'il fallait opacifier les fenêtres avec du papier. Puisqu'on ne pouvait sortir qu'à certaines heures, pour accompagner ma grand-mère, ma mère jusqu'au centre du village où on vendait de la viande, du lait, des légumes. Du dehors, parce qu'il y avait la mort. Il y avait le mot « mort ». Même à trois ans, à quatre ans, ce mot voulait déjà dire quelque chose. Cela venait dans la conversation, dans la bouche des femmes. « Untel est mort. Untel a été tué. » Ce n'est pas la mort visible, c'est la mort invisible. Je ne m'en souviens pas réellement, mais j'ai dû entendre ces mots souvent : « mort », « tué ».

Mais c'était doux aussi. Certainement très doux.

L'appartement du premier étage était situé tout à fait en haut du village de Roquebillière. C'était très petit :

une pièce servant de cuisine et de salle à manger, une chambre pour ma grand-mère, une chambre pour ma mère, mon frère et moi, et un réduit pour mon grand-père (il fumait trop au goût de ma grand-mère, et empestait le tabac froid). C'est là que nous avons passé la guerre. Ce qui rendait cet endroit si agréable, c'était l'atmosphère féminine. Cela aurait pu paraître exigu, surtout avec deux enfants en bas âge, turbulents et exigeants. J'ai au contraire le souvenir diffus d'un confort chaleureux, d'une sorte de cocon dans lequel nous pouvions grandir à l'abri. L'air était gris, humide, froid à l'extérieur, chaud d'une chaleur d'haleine à l'intérieur. Les volets épais tirés, la lumière électrique ne laissait aucune zone d'ombre, le calfeutrage amortissait tous les bruits. Il n'y avait personne au-dessus, personne au-dessous. La remise était toujours sombre, quand nous y allions nous voyions les formes fantomatiques des sacs de patates entreposés, des cartons, des caisses. Cela sentait la terre, le moisi, et cette odeur vague de fumée froide qui persiste dans les rues des villages de montagne.

La douceur, c'étaient surtout les jupes de ma grand-mère, ses tricots, ses foulards. Ma mère dans la journée s'habillait comme les sportives des années 30, jupe courte, chemise à manches courtes en été, manteaux de laine en hiver. Nous allions de l'une à l'autre. Pour sentir sur elles l'odeur de l'extérieur, le parfum de l'herbe, des ronces, des feuilles mortes, mais surtout le parfum de l'aventure.

Si je pense à ces années de guerre à Roquebillière, c'est l'image du sein maternel qui m'imprègne. L'appartement, la petite maison en pierres grises, le paysage alentour, les montagnes brumeuses et la vallée de la Vésubie envahie de hautes herbes, tout cela me donne le sentiment d'avoir prolongé au-delà de la naissance le séjour dans l'utérus maternel, un monde clos, étroit, chaud, où je sens la pulsion du sang et les remous du liquide amniotique, un monde d'où je n'ai pas encore envie de m'échapper, où je goûte aux derniers moments de paix, de sécurité. C'est étrange parce que ce monde-là, cette bulle, ne me protège pas vraiment contre la dureté extérieure. C'est ma mémoire qui me trompe, qui m'oblige à cette régression. Est-ce qu'il en est de même aujourd'hui pour ces enfants dont je parlais tout à l'heure, dans les pays en guerre, garçons et filles sachant à peine marcher, sachant à peine dire quelques mots dans la langue des adultes ? Fabriquent-ils des cocons sous l'abri précaire des tentes et des bidonvilles, où ils peuvent tisser une antimémoire en quelque sorte, un antidote au venin des bombes et des missiles ? Comment expliquer autrement qu'ils puissent, quelques années plus tard, prendre un fusil, une mitrailleuse, une machette, et se joindre au massacre ? Comment expliquer qu'ils ne parlent jamais de la peur ? Qu'ils ne craignent pas la mort, montent à l'assaut avec des armes plus lourdes qu'eux, et n'hésitent pas à s'en servir contre d'autres enfants, contre des femmes qui ressemblent à leur mère, contre des vieux qui ont le visage de leurs oncles, de leurs grands-pères ?

Dans un pays en guerre, les enfants ne sortent pas. Ce sont de longues journées à l'intérieur, dans l'unique salle qui sert de réunion à la famille, mon grand-père assis près de la fenêtre pour lire, ma mère, ma grand-mère occupées à cuisiner, à ravauder, et les deux enfants jouant comme ils peuvent, avec tout ce qu'ils trouvent, comme tous les enfants du monde. Une fois par jour, nous accompagnons ma grand-mère aux courses, c'est-à-dire nous descendons vers le vieux village, de l'autre côté du pont. La route de la Vésubie est vide d'autos, nous marchons au beau milieu, la poussette ne sert plus à transporter de bébé, c'est devenu une sorte de brouette pour rapporter les légumes, les pommes de terre, le bois de chauffage. À l'unique boucherie, ma grand-mère fait la queue pour acheter un bout de viande à mettre dans le pot-au-feu, un os de veau, des abats. Elle appartient à l'ancien temps, où l'on fait la cuisine avec les bas morceaux, un os à moelle qui va bouillir toute la journée avec des navets et des topinambours, un bout de jarret, de la queue de bœuf, de la langue. Aujourd'hui cela me semble misérable, mais elle n'a jamais rien connu d'autre. La guerre n'a pas changé grand-chose dans ses habitudes. Pour les petits enfants, c'est plus difficile. Il leur faut du lait, de la farine, du sucre. Du sel surtout. Lorsque la guerre prendra fin, ce n'est pas sur les bonbons ou le chocolat que je me précipiterai, c'est sur le gros sel gris dans les bocaux, je le mangerai par poignées. Je peux sentir encore dans ma bouche la chaleur de ce sel, le piquant, l'impression de plénitude. Le goût de la mer.

À la boucherie, je suis debout à côté de ma grand-mère. Il y a l'odeur du sang, l'odeur fade, froide, de la viande. Il y a les mouches. J'ai trois ans. Je suis juste à la bonne taille pour voir les jambes de ma grand-mère. Sur sa jambe droite, au niveau du tibia, elle porte une plaie infecte. J'ai longtemps cru que c'était une blessure mal soignée, qu'elle s'était coupée sur un rocher, en tombant dans un sentier de montagne quand elle allait chercher des herbes pour accommoder ses ragoûts. Sur la plaie, les mouches se posent, et elle ne sent rien. Moi je l'observe, mon visage est à quelques dizaines de centimètres de la jambe de ma grand-mère et je regarde les mouches marcher sur sa plaie. Est-ce que je pense à quelque chose ? Les enfants pensent certainement à quelque chose, même à trois ans. Mais à quoi ? Je regarde, je n'ai pas de dégoût, ni de peur, ni de tristesse. C'est juste un fait. Ça n'enlève rien à l'amour que j'ai pour ma grand-mère, rien au souvenir que j'ai d'elle, de sa joie de vivre, de sa façon de raconter des histoires, de m'embrasser et me serrer dans ses bras, de me chantonner des comptines pour dormir. Ça fait partie d'elle. Sa jambe est mangée par les mouches, comme moi je mange le bœuf et le mouton qu'elle achète à la boucherie.

Les mouches sont les grandes victorieuses des guerres. Peut-être parce qu'elle les craignait pour son ulcère, ma grand-mère les attribuait aux armées d'occupation. Avant la guerre, disait-elle, les mouches étaient en nombre raisonnable. Elles sont arrivées avec les Allemands. Ce n'était pas le hasard, c'était un plan de l'ennemi pour saper le moral des Français. Je ne sais si elle a pensé vraiment que l'Allemagne avait élevé les mouches comme une arme, pour les semer par centaines de milliers, par centaines de millions à travers l'Europe, mais le fait est qu'à Roquebillière elles étaient très nombreuses. Mon grand-père chaque matin se livrait à la chasse aux mouches. Muni d'un journal plié en quatre en guise de tapette, il parcourait la salle à manger, frappant les murs, les carreaux des fenêtres, la toile cirée de la table. Il n'en venait pas à bout. Elles étaient invincibles.

Les sorties du matin, à la recherche de nourriture, étaient les seules distractions pour les enfants. La route vers le vieux village descendait en faisant un large virage, il me semble aujourd'hui que c'était très loin, très long. Je peux voir chaque pierre sur le bord de la route, les champs d'herbes au bord de la rivière, les pentes des montagnes. À gauche, la colline haute de Belvédère. Pourquoi ai-je retenu ce nom ? Mon frère annonce un matin que la colline va s'écrouler avec toutes ses maisons. Il en a rêvé. Et c'est ce qui a eu lieu. Un tremblement de terre a fait tomber Belvédère. Je connais cette histoire depuis ce temps-là, elle est incrustée dans ma mémoire comme si elle était vraie. Mon frère a rêvé, et ce dont il a rêvé est arrivé. Même encore aujourd'hui cette histoire me trouble comme un vertige. Elle me trouble parce que, si on l'avait écoutée à temps, on aurait pu sauver des vies, empêcher la destruction. Il aurait suffi de courir, de crier : « Sauvez-vous ! Partez, tout va tomber ! » Personne n'a pris garde au rêve, personne n'a écouté mon frère.

Pourtant je sais maintenant que cette histoire est fausse : le tremblement de terre qui a détruit Belvédère a eu lieu longtemps avant ma naissance, avant la guerre. Est-ce moi qui l'ai rêvé, et quand ? Dans une guerre, les enfants ne savent rien de la réalité, ils écoutent des mots, ils construisent leurs histoires.

Nous descendons la route jusqu'au pont. Avant le pont, à l'intérieur de la courbe de la rivière, il y a un grand champ d'herbes hautes. C'est un endroit magique, qui attire et fait peur à la fois. C'est le champ des vipères. Aux beaux jours, nous nous y aventurons. Ma grand-mère, ma mère sont armées de cannes et frappent la terre pour faire fuir les serpents. En hiver, la rivière est en crue, il n'y a pas d'endroit où marcher. Nous regardons le champ des vipères sans oser descendre.

Passé le pont, j'aperçois la tour de l'église. Pourquoi cette tour est-elle si importante pour moi ? Peut-être parce qu'elle est la première tour d'église que je vois. À Nice, nous n'allons jamais à l'église. C'est loin, c'est dangereux. Les occupants (italiens, puis allemands) ont camouflé l'église du port en tendant de grandes bâches bariolées entre les colonnades, et de chaque côté du clocher, en prévision des bombardements. Le port est encombré de chicanes, obstrué par un réseau de barbelés. Les murs des immeubles autour du port sont peints de toutes les couleurs, vert, jaune, kaki. J'ai vu cela quand la guerre a pris fin et que pour la première fois nous sommes descendus vers l'église du port.

À Roquebillière, la tour de l'église domine les toits. Quand nous descendons vers le vieux village je la vois apparaître. Est-ce que je l'aime ? Je ne sais pas si je peux parler d'amour, mais c'est comme un visage familier. Sur le côté, elle porte un cadran de pendule. Je n'en ai jamais vu jusqu'alors. Un cadran de pendule bien rond, comme une face de lune, avec les chiffres et les aiguilles.

Je ne sais pas lire l'heure – en fait je ne saurai pas lire

l'heure avant l'âge de dix ou onze ans. C'est une épreuve pour acquérir un ruban chez les scouts (les louveteaux), et j'ai du mal à y parvenir. Peut-être que cette pendule de la tour de Roquebillière m'a bloqué. Peut-être qu'elle s'est arrêtée à cause de la guerre. La guerre peut-elle arrêter une pendule ? Ou peut-être que le bedeau a été fait prisonnier, et qu'il n'y a plus personne pour grimper dans la tour et remonter le mécanisme.

La guerre, c'est gris.

Nice, la Côte d'Azur, cela enchante les voyageurs, les artistes, les peintres. Matisse a joué avec toutes les couleurs de la palette de la joie, la mer bleue, les palmiers, les fleurs, les filles, sans doute ce qu'il voyait (ou imaginait) de sa fenêtre au palais Victoria.

Moi, je ne m'en souviens pas. Nous avons quitté la villa Idalie, au boulevard Carnot, parce que, les derniers temps, nous passions de longs moments à la cave, écoutant la sirène d'alarme, guettant le grondement des bombes. Nous sommes arrivés à Roquebillière au début du printemps 43, alors qu'il faisait encore froid, et je me souviens seulement du gris. Le gris des paletots des soldats allemands que j'ai vus occupés à déjanter les pneus de l'auto de ma grand-mère, dans la cour de son immeuble. Gris comme le ciel de l'aube quand nous sommes partis en camion pour la montagne. Gris comme les vallées de l'arrière-pays, couleur du ciment des falaises, couleur des pierres nues des maisons de village, couleur de l'air confiné de la remise au-dessus de laquelle nous allions vivre.

C'est là que j'ai connu mon premier été. À Nice, en Bretagne, il y a les saisons, les belles, les mauvaises. Sur des photos, je vois ma poussette (une sorte de char d'assaut miniature muni de petites roues à jantes pleines) dans les jardins du Sud, ou dans une ruelle de Sainte-Marine en Bretagne. C'est un autre temps dont je n'ai aucune mémoire. Et la fuite, dans la vieille bagnole de ma grand-mère, avec ma mère, mon frère, mon grand-père, à travers la France occupée, le passage de la ligne de démarcation ont tout effacé. Cela s'est passé dans un autre monde, avant mon éveil. En juillet, en août 43, l'été éclate pour moi, pour la première fois.

Je ne sais pas si je puis dire que je m'en souviens. J'ai vu trop d'images par la suite, des photos, des films d'actualité, des films de fiction, j'ai lu trop de récits, des romans, des livres d'histoire, des histoires. La mémoire est un tissu fragile, facilement rompu, contaminé. Je me méfie des livres de souvenirs. Ils donnent souvent un mélange confus, contradictoire, une sorte de soupe originelle où le vrai, le faux, le complaisant, le moralisateur sont des éléments trop cuits, forment une gelée sans vie et sans saveur.

Je ne peux pas dire que je me souviens de mon premier été. Je sais seulement qu'il y a au fond de moi un éblouissement, un éclair. La lumière du soleil au fond de la vallée, les champs de blé mûr, l'eau de la rivière, les rochers, le ciel nu.

J'ai trois ans. Est-ce qu'on peut mettre des mots sur ce qu'on ressent à cet âge ? Sans doute pas des mots, sauf ceux-ci : c'est la première fois. Dans le gris de la guerre, l'ombre froide de la cave de l'immeuble bombardé, il y a tout à coup cette brèche, pour l'anniversaire de mes trois ans. La lumière, la liberté, la chaleur, l'eau de la rivière, l'odeur de l'herbe. S'il n'y avait eu la guerre, si je n'avais pas ressenti la faim (de nourriture, d'amour, de chaleur), cet été n'aurait pas existé. Il se serait confondu avec les autres saisons, avec les étés qui se sont ensuivis, avec la vie en Afrique, les orages, le soleil violent, les nuits bruyantes, ou encore avec l'été en Bretagne, la liberté des chemins de traverse, la lande, l'océan.

Sur des photos, je nous vois, mon frère et moi, au moment de la moisson. C'est au mois de juillet 43. Nous sommes dans un champ de blé, avec un paysan. Nous portons les gerbes plus hautes que nous. Derrière nous, au loin il y a les maisons de Roquebillière, la pente qui va vers la rivière, des arbres. C'est un paysage assez banal, plutôt pauvre. Le champ de blé doit faire moins d'un hectare, de quoi fournir du grain à quelques familles. Le paysan est un homme d'une quarantaine d'années. Il est en chemise, les manches relevées, il est coiffé d'un béret noir. Il sourit. Pourquoi n'est-il pas en prison comme la plupart des Français ? Roquebillière est dans la zone administrée par les Italiens, les Allemands ne sont pas encore arrivés. La guerre n'a interrompu que peu de choses dans les hautes vallées. Ceux qui n'ont pas été capturés les armes à la main sont tout simplement retournés chez eux, pour reprendre le travail.

Bien sûr je ne sais rien de tout cela. Mais pour deux petits enfants, cet instant doit être magique. C'est un instant de liberté. Il n'y a pas de violence, pas de bombes, pas de sirènes. Il y a juste cette vallée chauffée par le soleil, ces longues tiges de blé qui écorchent nos mains, l'odeur de la paille, les gerbes gonflées de grains, la terre sèche sous nos sandales. Les tiges de blé coupent nos jambes, les épis barbus piquent nos bras, mais nous prenons les gerbes à pleines mains, nous les serrons pour les emporter jusqu'au paysan qui les lie en faisceaux et les place debout dans le champ.

La magie, c'est hors du temps. À cause de la guerre, il n'y a plus rien de moderne. Plus de machines, plus de moissonneuses-lieuses, plus de batteuses. Il n'y a que les hommes qui fauchent à la main, dressent les bottes, ensuite les portent dans les charrettes attelées aux mules jusqu'à la cour de la ferme, pour les engranger. C'est très ancien, comme si le monde n'avait pas bougé depuis le néolithique. Comme si on n'avait rien inventé. Comme si la guerre avait arrêté le temps, pour un retour en arrière.

Je ne le sais pas à ce moment, mais je suis en train de vivre les derniers instants de la civilisation agricole. Je verrai la moisson plus tard, en Bretagne, mais je ne la vivrai jamais comme celle de Roquebillière. Je ne verrai plus cette fête, debout devant le blé plus haut que moi, avec cette brûlure du soleil, cette odeur, ce contact des tiges et des épis, à côté des hommes qui moissonnent à la faux, dans une vallée oubliée.

Avec ma grand-mère, nous glanons les épis restés à terre, après le départ des paysans dans leurs charrettes. Nous ramassons les épis dans des sacs. Nous les ramenons à la maison, et nous tournons la manivelle du moulin à café de notre grand-mère pour faire de la farine.

Glaner, c'est un geste très ancien. Cela veut dire que nous avons faim, que nous avons besoin de farine. Les paysans de Roquebillière ne l'ont pas interdit. Plus tard, longtemps après, je parle en Chine avec le romancier Mo Yan, qui raconte comment il a glané, au temps de la famine, pour ramasser les épis de sorgho dans les champs, à Gaomi, dans le Shandong. Mais sa mère est prise à partie par un contremaître de la moisson, un méchant qui la frappe au visage, et elle tombe, sa bouche saigne. Lui aussi a connu la faim, il n'a pas oublié à quel point il a haï l'homme qui a frappé sa mère.

Quand on parle de la faim, la plupart du temps ceux qui en parlent l'ont connue de l'extérieur.

Moi, je l'ai vécue de l'intérieur.

Avoir faim, ce n'est pas juste ce petit creux délicieux avant de revenir chez soi, au sortir de l'école. Ni ce besoin qui fait saliver, devant la table servie, devant l'assiette fumante, ou la console froide pleine de gâteaux de toutes les couleurs. Ce n'est pas même cette urgence, après une longue marche, ou une fatigue physique, comme j'ai pu ressentir quand j'ai traversé la forêt du haut Tuira jusqu'au Palo de Las Letras, à la frontière colombienne. Tout cela, je l'ai connu, mais ce n'était pas la faim. C'était juste un besoin, une envie, aussitôt rassasiés dès que je commençais à manger.

La faim dont je parle, je l'ai ressentie dans ma petite enfance, pendant la guerre. Je ne me souviens que d'elle. Non pas un creux, mais un vide, au centre de mon corps, tout le temps, à chaque instant, un vide que rien ne peut combler, que rien ne peut rassasier. Une faim du jour, de la nuit, du dehors, du dedans, dans mon lit, dans la cuisine, en dormant, en marchant. Cette faim, les adultes pouvaient la ressentir. D'une certaine façon, ils avaient davantage que moi le droit de se plaindre. Ma grand-mère mangeait les épluchures des légumes pour nous donner, à nous les enfants, la chair des carottes, les morceaux de navet, les pommes de terre. Nous n'avions pas de lait tous les jours. Ce que ma mère trouvait, lait ou fromage, était pour les enfants, non pas pour les adultes. Mais les adultes étaient aguerris. Non pas qu'ils eussent vécu cela autrefois, dans leur enfance, vécu et surmonté la disette. Mais ils avaient des réserves. Quand on mange à sa faim dans sa petite enfance, on n'a plus jamais vraiment faim. La réserve des adultes, c'est mieux que la mémoire. C'est dans leurs cellules, dans leur cerveau. Dans leurs rêves. Ils peuvent en parler. Ils peuvent se souvenir de leurs agapes, en espérer de nouvelles. Ils peuvent dire : « Quand tout ça finira... » Ils imaginent que ça finira bien un jour, comme ça a fini déjà, en 18, ou même avant, en 1870, lorsqu'il y a eu le siège de Paris par l'armée prussienne, et que les braves gens bouffaient tous les animaux du jardin d'Acclimatation.

Les enfants qui ont moins de cinq ans ne se souviennent de rien. Comment pourraient-ils ? Ils sont nés de la guerre, ils sont nés dans la violence.

Je parle de vide. Ce n'était pas un vide du corps, mais un manque continu, une cavité, un espace. Je ne me souviens pas d'avoir eu envie de ceci ou de cela. Nous n'avions pas le choix. Nous n'avions pas assez de tout, c'est tout. Il manquait les protéines, le sucre, le sel, le gras. Le gras surtout. Après la guerre, lorsque les aliments ont commencé à arriver (encore rationnés, mais ils arrivaient), je me souviens d'avoir bu de l'huile de foie de morue avec délices, je me souviens d'avoir léché les cristaux de sel, croqué les arêtes de poisson. Le pain aussi. J'ai failli mourir de dysenterie, à l'âge de trois ans, parce que le pain qu'on achetait à Nice était contaminé. Il paraît qu'on mélangeait de la sciure à la farine. Un pain que j'imagine gris, acide. De ce pain je ne garde aucun souvenir, mais à la Libération, lorsque les Américains, les Canadiens, les Anglais ont envahi la Côte d'Azur, nous avons reçu (chaque famille, en échange d'un bon) du pain blanc. J'imagine qu'il était fait avec du riz tellement il était blanc. Je n'en ai jamais oublié le goût. Doux, suave, fondant, parfumé. Nous avons reçu, sans doute distribuées par les officines de la Croix-Rouge, des boîtes de pâté, de grandes boîtes ovales qu'on ouvrait au moyen d'une petite clef, qui contenaient une chair rosée, onctueuse, odorante, que notre grand-mère découpait parcimonieusement pour l'étaler sur les fameuses tranches de pain blanc. Pour nous en souvenir, longtemps après, jusqu'à tressaillir en sentant le contact de cette chair à pâté sur notre langue, il fallait avoir eu faim, très faim pendant des années. Plus tard, voyageant au Mexique, dans les régions pauvres, j'ai retrouvé les mêmes boîtes ovales dans les épiceries de village, à côté des boîtes de lait Carnation et des sachets de pain industriel. Cela avait changé de nom, cela s'appelait *carne de diablo.* Pourquoi le pâté qui nous avait sauvé la vie portait maintenant le nom du diable ?

La faim, c'est ce sentiment qu'on ne pourra jamais combler ce vide au centre du corps. Le temps a passé, j'ai grandi dans un monde différent, d'abord en Afrique où nous n'avons manqué de rien, ni de nourriture ni de liberté. À Nice, en Bretagne, nous nous sommes éloignés du temps des restrictions, il n'y avait plus rien d'interdit, plus de rations, plus de désirs contrariés. Pourtant, quand je parle de cette époque de ma petite enfance avec les gens qui ont quelques années de moins, qui sont nés après la guerre, ou qui ont grandi dans les zones rurales de la France, ou même à Paris, je n'ai rien à partager avec eux. Ils n'ont pas connu la faim, bien au contraire. Certains me disent même qu'ils étaient écœurés d'avoir trop mangé durant ces années-là, trop de beurre, trop de viande, trop de gâteaux. Dans la France occupée, la machine à fabriquer les agapes marchait à plein régime. Peut-être parce que la plupart des hommes étaient enfermés dans des camps de prisonniers, les enfants avaient un accès illimité aux richesses alimentaires. Le mauvais sort s'est acharné sur des villes comme Nice, dans la zone qu'on disait « libre », ou Cannes, ou Menton, de grandes belles villes qui ne produisaient rien d'autre que des casinos, des fêtes masquées, des cotillons. Pour manger, ma mère devait aller à vélo jusque dans la plaine du Var (où aujourd'hui on a remplacé les vieilles fermes par des supermarchés et des immeubles d'administration), pour ramener quelques cardes, des patates avariées, des raves. Dans les années qui ont suivi la guerre, les vieilles gens allaient au marché, sur les bords du Paillon, pour glaner les légumes tombés à terre comme nous l'avions fait avec ma grand-mère pour les épis de blé. Je les ai vus piquer furtivement du bout de leurs cannes les choux, les carottes pourries et les glisser honteusement dans leurs cabas. Ces vieux sont littéralement morts de faim, sans que personne leur vienne en aide. Je ne puis rien oublier de tout cela. Cela fait partie de mon être, ce vide que les années de guerre ont creusé dans mon ventre, dans ma tête.

Je crois que j'ai connu au même moment l'été et la mort.

L'été 43 a dû être très chaud. Je ne me souviens pas de la température, mais je me souviens que nous allions, mon frère, ma mère et moi, nous baigner dans l'eau de la Vésubie. C'est un été éblouissant comme il peut l'être dans la moyenne montagne (au-dessous de mille mètres), à Roquebillière, à Lantosque, à Saint-Martin. La vallée étroite forme un réceptacle ouvert pour les rayons du soleil, les hautes montagnes alentour sont des remparts contre le vent. La lumière s'emmagasine et rayonne tout le jour, depuis le matin jusqu'au soir, l'air est immobile, tout est écrasé par la chaleur. Nous allons le matin à pied jusqu'au bord de la rivière, en suivant la route. Nous descendons un peu avant le pont, là où s'étend le champ des vipères. Au bord de l'eau nous sommes entourés par les guêpes. Il y a aussi des taons qui piquent en laissant une brûlure de braise sur la peau. C'est un peu en amont du village, la rivière cascade entre de grands blocs de rocher, ma mère a choisi cet endroit parce que l'eau doit y être plus claire, à l'écart des plages utilisées par les lavandières. Elle n'a jamais eu peur de la nature sauvage. Avant notre naissance elle a parcouru les montagnes de l'ouest du Cameroun avec mon père, à cheval, elle s'est baignée dans les rivières, elle doit retrouver dans cette vallée les sensations qu'elle aime, la liberté, l'aventure. Est-ce qu'il nous en reste quelque chose ? Deux petits enfants nus au milieu des rochers, éclaboussés par les tourbillons, riant de l'eau froide dans le soleil brûlant, sans crainte des insectes, pataugeant comme de petits chiens. Même si je suis trop jeune pour y mettre des mots, mon corps se souvient de l'eau, du soleil, des frissons. Est-ce cela que j'ai voulu retrouver ensuite, adulte, quand j'ai voyagé sur les rivières du Darién, au Panamá, cette impression de liberté qui file au cours de l'eau, le froid et le soleil, les insectes, et les millions de morsures des petits poissons cachés dans le sable ? Il n'y a pas de poissons dans la Vésubie, seulement des sangsues dans les mares, et les vipères sur la berge.

Alors vient le souvenir de Mario. J'ai parlé de lui dans un roman, *Ritournelle de la faim.* Il m'a semblé que je ne pouvais pas imaginer la guerre sans Mario. Il est mon héros, le seul résistant à l'occupation allemande que j'aie connu, le seul qui soit autre chose qu'un personnage historique lu dans les livres. Est-ce vraiment un souvenir ? Comment aurais-je pu retenir ce nom ? Pourtant il fait partie de ma petite enfance, comme Maria, la cuisinière italienne de ma grand-mère qui a quitté Nice à l'arrivée des Allemands lorsque nous sommes partis nous réfugier dans la montagne. D'elle je ne retrouve que le goût des gnocchis qu'elle cuisinait avec les moyens du bord, sans doute du topinambour mélangé à de la pomme de terre puisqu'il n'y avait plus de farine de blé. Quand elle est partie pour le Tessin, mon frère et moi avons dû beaucoup pleurer, parce que nous l'aimions sincèrement.

Mais de Mario, qu'est-ce que je garde ? Qu'il devait avoir une quinzaine d'années, puisqu'il jouait avec nous quand nous allions à la rivière. Qu'il devait se baigner lui aussi, nous jeter de l'eau, nous porter en riant. C'est de lui aussi que je garde ce nom du champ des vipères. Il en parlait, ou bien il nous montrait les recoins où les serpents se cachent, les pierres plates près de l'eau, chauffées au soleil. Est-ce qu'il les tuait ? Ou bien il se contentait de les déloger pour nous les faire voir, rampant sans se presser (les serpents vraiment venimeux glissent lentement), ou peut-être même les couples de vipères faisant l'amour enlacées l'une à l'autre par des nœuds coulants. Rien de tout ce que je viens de dire n'est vraisemblable. Ce dont je suis certain, c'est que Mario était roux. Lorsqu'il est mort, explosé avec la bombe qu'il transportait, on a dit, répété cette phrase terrible et extraordinaire : « On n'a retrouvé de lui qu'une mèche de cheveux rouges. » Qui a dit cela ? Certainement pas ma mère, qui aimait bien Mario. Quelqu'un est venu l'annoncer à l'appartement où nous étions enfermés, quelqu'un a monté les marches et a frappé à la porte pour dire cela, juste ces mots : « Mario est mort, on n'a retrouvé de lui qu'une mèche de cheveux rouges. »

Qui était Mario ? Que faisait-il, lui l'Italien, en territoire occupé ? Je n'ai pas de réponse à cette question. Il appartient à cette marge de l'Histoire qui ne laisse aucune trace dans les livres, sur les monuments. Il appartient à cette marge qu'on appelle la frontière. Les paysans et les bergers de la haute montagne ont pris le large au début de la guerre, et même avant, à la montée au pouvoir des fascistes. Peut-être qu'ils étaient communistes ? Ou tout simplement, ils éprouvaient de la répulsion pour ce que représentaient les politiciens autour de Mussolini, pour la corruption et la méchanceté d'un mouvement fondé sur le racisme et la xénophobie. Mario n'était pas à l'âge où on fait des discours. Il avait pris le maquis, comme avant lui ceux qui avaient lutté contre l'armée de Bonaparte. Hors-la-loi au Piémont, il avait suivi le chemin des bergers dans la haute montagne, avec sa famille et ses amis. Le chemin qu'ont emprunté en 43 les Juifs qui ont fui l'avancée des Allemands à travers la montagne, par le col de Fenestre, jusqu'à Sant'Anna di Valdieri, dans la vallée de la Stura. Le même chemin qu'ont emprunté cinquante ans plus tard les migrants, recueillis par les gens de la haute Tinée et de la Vésubie.

Il est mort en transportant une bombe. Où allait-il poser cette bombe ? Sur un pont, pour retarder la progression de l'armée allemande, peut-être sur le pont qui enjambe la rivière à l'entrée du vieux village ? Il y avait deux Mario, celui qui jouait avec nous, encore un enfant, qui se baignait dans les rapides de la Vésubie, qui riait avec nous, qui nous emmenait voir les nids de vipères au milieu des hautes herbes. Et l'autre Mario, un héros de la Résistance, un communiste italien qui haïssait Hitler et Mussolini, au point de transporter une bombe au petit matin, et de perdre la vie en trébuchant sur une racine.

C'est sans doute cette partie de l'histoire qui me trouble. Qui me fait comprendre que la guerre tue les enfants. Qu'on ne peut pas être vraiment un enfant quand on est né dans une guerre.

Quel que soit le but qu'il cherche, l'enfant qui transporte une arme cesse d'être un enfant. Il appartient à un autre âge de la vie, il est entré dans un autre temps, un temps violent, féroce, impitoyable. Le temps des adultes.

On parle souvent des enfants-soldats. Le Nigérian Ken Saro-Wiwa a décrit cela dans son roman *Sozaboy* qui tourne en dérision le faux héroïsme de ces temps de guerre. Quand j'étais enfant, j'ai lu les récits de Baden-Powell. C'était une lecture obligée pour tous les scouts, que les autorités (paramilitaires, religieuses) valorisaient à l'extrême. Un exemple pour la jeunesse. Comment l'armée rebelle recrutait des enfants pour transporter des armes, ou diffuser des informations, au temps de la guerre des Boers, en Afrique du Sud. On aurait aussi bien pu dresser des chiens, ou des pigeons voyageurs. Baden-Powell, paraît-il, avait reçu un surnom swahili : Impeesa, « le loup qui ne dort jamais ». C'était l'époque où on croyait que les hommes valaient bien les loups. On préparait ainsi les garçons aux futurs conflits, selon la filière suivante : scout, puis béret vert, puis parachutiste.

Justement, quand j'ai eu dix-sept ans, la France a livré une guerre sans pitié aux Algériens, pour maintenir l'emprise sur son territoire colonial. Dans ma classe de lycée, à Nice, un garçon s'était impliqué dans cette lutte, il soutenait le FLN en convoyant des fonds, en portant des nouvelles, en espionnant. Je me souviens bien de lui, fils d'un gendarme, qui livrait les documents et les valises d'argent au contact ennemi. Je ne sais pas ce qu'il est devenu, s'il a survécu à cette ère dangereuse. Chaque fois que j'ai su cela, que j'ai lu cela dans la presse, que j'ai appris le risque que prenait l'enfant-soldat, j'ai pensé à Mario, à sa mèche de cheveux rouges au fond du cratère, dans le champ d'herbes. J'ai pensé aux enfants juifs qui avaient dû fuir à travers la montagne.

Être né dans une guerre, c'est être témoin malgré soi, un témoin inconscient, à la fois proche et lointain, non pas indifférent mais différent, comme pourrait l'être un oiseau, ou un arbre. On était là, on a vécu cela, mais ça n'a pris de sens que par ce qu'on a appris par les autres, plus tard (trop tard ?).

Nous avons été enfants dans le village de Roquebillière. À moins de dix kilomètres, en amont de la même rivière, à Saint-Martin-de-Lantosque (aujourd'hui Saint-Martin-Vésubie), pendant l'été 43, des gens ont vécu une tragédie. Des femmes, des hommes, des enfants de notre âge ont fui l'arrivée de l'armée allemande à travers la montagne, par le col de Fenestre, jusqu'en Italie. Cela s'est passé pendant ce même été où nous allions nous baigner dans l'eau de la Vésubie, pendant que nous jouions avec Mario, quelques jours, quelques semaines avant qu'il soit tué par sa bombe. Je pense à l'eau de la rivière, au champ d'herbes, à la chaleur de l'été, et les Juifs de Saint-Martin viennent à mon esprit. Pendant que nous jouions innocemment, ils ont commencé leur marche le long du sentier du torrent de Fenestre, ils ont porté leurs valises, tiré des poussettes sur le chemin caillouteux. Ils ont ouvert leurs parapluies pour s'abriter du soleil. Ils se sont arrêtés pour se reposer à l'ombre des mélèzes, assis sur des pierres, les vieux, les femmes enceintes, les bébés couchés dans une couverture à même l'herbe sèche. Le ciel était d'un bleu intense, la haute montagne du Gélas dressait un mur infranchissable, au bout de la vallée. Tout le jour ils ont marché, certains, les plus jeunes, ont franchi le col avant la nuit, d'autres se sont arrêtés à la chapelle de la Madone, pour passer la nuit dehors, et peut-être qu'il a plu cette nuit-là, comme souvent en haute montagne. Ils ont dressé des tentes de fortune, ils se sont abrités sous le porche de la chapelle, ou dans les ruines du refuge.

Je ne peux m'empêcher de revenir à cette histoire, même si elle n'est pas reconnue, glorifiée, même si elle n'est qu'un instant dans le déroulement d'une guerre qui a fait des millions de morts à travers le monde. Parce que j'étais là, séparé du drame par une poignée de kilomètres, au même instant, sous le même ciel, sous les mêmes nuages.

Est-ce la même histoire ? Longtemps après, ma mère me parle de ce qui s'est passé, plus bas dans la vallée, à côté de Roquebillière. Le passage des Juifs par le col de Fenestre est connu, les historiens en ont parlé (Alberto Cavaglion dans un ouvrage publié en Italie, *Nella notte straniera*). La fuite des familles juives de Saint-Martin vers la Stura, leur capture par les milices fascistes à Borgo San Dalmazzo, et la déportation en train de Vintimille à Nice, puis de Nice à Drancy.

L'histoire que raconte ma mère, quarante ans plus tard, n'a pas été écrite. Elle est connue seulement des habitants de la vallée de la Vésubie, ma mère l'a entendue, elle me l'a rapportée. Là aussi, j'en fais partie, puisque je l'ai sans doute entendue autrefois sans la comprendre, comme l'explosion au petit matin qui a pulvérisé Mario. Un groupe de fugitifs qui cherche à franchir la frontière, pour aller de France en Italie. Ils ont choisi la route de Berthemont, sans doute parce qu'ils viennent de Nice et qu'ils craignent de ne pas avoir le temps de rejoindre le col de Fenestre. De Berthemont, la frontière semble toute proche, mais c'est un leurre. Au-dessus du village, le sentier monte progressivement une pente continue, un grand alpage semé de bories, vers la ligne des hautes montagnes. Ce qu'ils ignorent, c'est que les Allemands ont déjà installé un poste de surveillance de la frontière, en haut de l'alpage. Hommes, femmes, enfants marchent sous le soleil, le grand pâturage doit leur sembler merveilleux sous le ciel bleu. Ce doit être comme d'échapper à l'enfer des combats pour arriver dans un pays idéal où règne la paix. La Suisse en quelque sorte. Au détour du chemin, ils sont surpris par la patrouille allemande. Fusillés à la mitrailleuse, tous, sans quartier, hommes, femmes, enfants. Dans les herbes. Les corps sont enterrés sommairement par les soldats (peut-être par des prisonniers) dans des tranchées, les tranchées sont recouvertes de terre, et l'herbe repousse sur les tombes. Quelqu'un l'a vu, un berger peut-être, ou un des fugitifs qui est parvenu à échapper au massacre. Et cela reste dans la mémoire de cette montagne, sans en sortir, la mémoire de l'herbe et des bories, des oiseaux que la fusillade a effrayés, dans les échos des détonations qui se sont répercutés sur la falaise vaine des montagnes, à la frontière. Si près de moi que j'ai dû les entendre, un grondement d'orage, qui se mêle au bruit de l'eau qui cascade entre les rochers.

Est-ce qu'on est le même lorsqu'on a entendu cela dans son enfance ? Est-ce qu'on peut oublier ? La mémoire, ce ne sont pas seulement des mots, des histoires.

C'est le temps qui ne passe pas. Dans la paix, la vie des enfants est rythmée par les jours, les activités, les rencontres, les jeux, les fêtes. Pour nous qui étions enfermés, tous les jours étaient identiques, toutes les nuits se ressemblaient. Même si les enfants très jeunes ne savent pas qu'ils appartiennent à une famille, à un pays, ils devinent que cela existe, qu'il y a un dedans et un dehors, des limites, une maison, et au-delà l'inconnu, l'étranger, le danger.

L'arrivée des soldats américains à Roquebillière, à la fin de 44, je sais que je l'ai vécue, mais je ne m'en souviens pas vraiment. Avec mon frère, ma grand-mère, ma mère, nous sommes debout au bord de la route, à l'entrée du village. Les blindés font un bruit de tonnerre, suivis par les tanks sur leurs chenilles. Ce que je sais pour l'avoir entendu raconter cent fois, c'est que mon frère, plus âgé, déjà très soucieux des règles, est choqué parce que les véhicules de l'armée de libération ne respectent pas le code de la route. Sur les routes de montagne, à l'époque, il y a dans les virages deux voies, une pour monter qui fait le détour, une pour descendre qui va tout droit. Les camions et les autochenilles coupent court et prennent la voie de la descente à contresens.

Est-il vrai que nous, les enfants (avec les garçons et les filles du village), avons couru le long de la route pour réclamer aux Américains du chewing-gum ou du chocolat ? Est-il vrai que, avant eux, la troupe allemande a traversé Roquebillière en distribuant du chocolat aux gosses, et que ma grand-mère nous l'a repris et l'a jeté, comme si c'était du poison ? Le romancier chinois Alai, recruté pour la guerre du Vietnam (du côté des communistes, bien entendu), raconte que l'armée d'occupation chinoise à Hanoi avait reçu des tablettes de chocolat à distribuer aux enfants vietnamiens, et qu'une vieille femme a pris la tablette de chocolat qu'il venait de donner à son petit-fils, et l'a jetée dans le caniveau.

Les enfants nés dans la guerre ne savent rien de ce qui les entoure. Est-ce pour cela que ma mère, quelque temps avant la Libération, nous montre à travers les persiennes l'armée allemande en déroute ? Sur la route le long de notre maison, les camions, phares allumés, les tanks, les soldats à pied qui avancent sans bruit. Plus tard, j'apprends que c'est ce qui reste de l'Afrikakorps en retraite, venu de Libye et tâchant de regagner l'Allemagne. Pourquoi passent-ils sous nos fenêtres ? Le nom du maréchal Rommel résonne dans ma mémoire, mais il ne fait sûrement pas partie de cette troupe en fuite. Il a pris l'avion pour rentrer à Berlin, où il va se suicider. Durant ces mois et ces années, tout se mélange dans mon esprit. La guerre, l'après-guerre. La Libération, c'est pour les adultes. Nous, les enfants, rien ni personne ne nous libère. Nous vivons au jour le jour. Mon premier souvenir réel, alors que la guerre est finie depuis longtemps, c'est Nice. Je suis au bord de la mer, le mari de ma tante, le colonel Georges Borschneck, en uniforme de chasseur alpin, nous achète des glaces. C'est la première fois que je goûte à une glace. J'essaye aussi son béret. Je ne pourrai pas l'oublier.

Après la guerre, il est difficile de nous défaire de ces années d'enfermement, de séparation. Nous sommes sur la plage de la Réserve à Nice, une photo nous montre dans nos vêtements de petits montagnards. C'est l'hiver 45, nous sommes encore habillés comme dans la haute vallée, vestes en peau de mouton, guêtres et godillots. Nous grimaçons au soleil pareils à deux petits sauvageons extirpés de leur tanière. Il nous faudra du temps pour en sortir, si nous en sommes jamais vraiment sortis ? Il faudra du temps pour effacer le vide, la faim, la peur, l'ignorance. Il faudra le voyage à l'autre bout du monde, au Nigeria, la liberté sans limites de la brousse près de la rivière Cross, le ciel d'orage, les cris des bêtes sauvages dans la nuit.

L'après-guerre, en attendant, c'est un parcours difficile, à petits pas. Quitter la montagne, le nid sombre et triste où nous avons grandi, pour retrouver la ville. Oublier la faim. C'est peut-être cela qui me coûte le plus dans mon enfance. La détresse continue, même après l'arrivée des Américains. Nous vivons à nouveau dans l'appartement de ma grand-mère, au sixième étage sous les toits, mais rien n'a vraiment changé. Pour manger, pour avoir du charbon, de la sciure de bois, des vêtements, il faut se débattre. Il faut faire la queue. Il faut les fameux carnets de rationnement, répartis pour chaque membre de la famille, entre denrées alimentaires, lait, huile, saindoux, et même le tabac (mon grand-père fume toutes les parts de la famille). Le vide continue de se creuser au centre de mon ventre, dans mon esprit, dans mes poumons. Rien n'est assuré. La mort est toujours présente. Lorsque je sors dans la cour de l'immeuble, un voisin de ma grand-mère frappe dans ses mains. Il est si grand et si fort que ses mains résonnent comme des coups de fusil. C'est sa façon de m'appeler. Ogier est son nom, je sais qu'il est un des amis de ma famille. Quand nous lui rendons visite il me soulève dans ses bras. Peut-être que c'est grâce à lui que je connais le mot « résistant ». Pendant l'occupation allemande, il a fait partie d'un réseau, il a fait passer des messages codés, il a protégé des Juifs. M. Ogier est donc un « résistant », je reçois ce mot comme si cela voulait dire « géant », ou « il est très fort ». Un jour, j'apprends qu'il est mort. Il a attrapé la typhoïde et il est mort en quelques jours. La maladie a rongé ses intestins jusqu'à la perforation. Un géant. Qui frappe dans ses mains quand je sors dans la cour. Est-ce que c'est cela, la guerre ? Quelqu'un qui est là, qu'on aime bien, et qui disparaît tout d'un coup ?

Ce grand vide de mon enfance dans la guerre, comment vais-je le combler ? Toutes ces années perdues, enfermées, affamées, isolées, comment les retrouver ? Comment les accepter ?

L'absence de mon père, à ma naissance, puis durant le temps de ma petite enfance, comme si j'étais né orphelin, ou enfant trouvé. Mais de mettre des mots sur cette absence, ou cet abandon, ne me permet pas de m'y résoudre, puisque ce n'est pas lui qui s'est séparé de nous, c'est le monde en état de chaos, cette folie universelle qui a rompu le contact entre l'enfant et son père. Pour le père, la distance n'était rien. Il l'avait acceptée lorsqu'il s'est engagé comme médecin dans l'armée britannique, qu'il a voyagé en Guyane, puis au Cameroun et au Nigeria. Cela faisait partie de son métier d'homme.

Il avait fait ses plans pour que sa femme et ses enfants viennent le rejoindre au plus vite. J'ai été conçu alors que la paix régnait encore, il avait prévu un congé en mars ou en avril pour être présent auprès de ma mère à ma naissance. Quand la guerre éclate, et que la France est vaincue en quelques semaines, il comprend son erreur. Ce n'est pas seulement la défaite de l'armée française qui l'alarme, c'est le climat de trahison qui s'installe dans le pays où sa femme et ses enfants sont immobilisés. Au début du conflit, les lettres qu'il écrit à ma mère sont encore optimistes. Il l'engage à se rendre au plus vite en Bretagne, le plus loin possible de la zone des combats. Lorsque l'armée allemande occupe tout le nord du pays, jusqu'à l'océan, il comprend que l'espoir de retrouver sa famille devient de plus en plus aléatoire. Sa tentative de rejoindre sa femme et ses enfants en traversant le Sahara, mise en échec à cause du refus d'un officier français obtus et revanchard en poste à Tamanrasset, a dû être pour lui dramatique. Cela veut dire que les êtres qu'il aime, qui constituent son unique famille (puisqu'il a tout quitté à Maurice pour eux) sont abandonnés à eux-mêmes dans un pays où il n'y a plus de lois, plus de sécurité, plus d'avenir. Un pays qui est maintenant livré au crime et au pillage, au viol et au mensonge d'État. Cela veut dire aussi que la France les trahit, lui et les siens. Les rejette à l'écart, les condamne à mort. Les dernières lettres qu'il fait parvenir à ma mère sont claires : pour mon père, en acceptant l'invasion, en refusant de combattre, en faisant de Paris une ville ouverte à l'ennemi, le gouvernement de la France s'allie à l'Allemagne nazie, contre l'Angleterre. Cette trahison bouleverse tout ce qu'il a aimé jadis, quand la France semblait, vue de Maurice, un havre de civilisation. Il écrit à ma mère de ne pas croire aux mensonges que la presse diffuse dans l'opinion française au sujet des Anglais. Que désormais elle ne pourra avoir d'espoir que dans la résistance de l'Angleterre, dans la lutte du peuple britannique contre Hitler au prix des bombardements sur Londres. Puis c'est le silence, qui va durer cinq ans, cinq ans pendant lesquels mon père et ma mère ne pourront échanger aucune lettre, aucune nouvelle. C'est ce gouffre qui s'est creusé entre eux, comme s'ils étaient morts l'un pour l'autre.

Ma mère a vécu sur l'autre bord du gouffre, séparée de mon père par beaucoup plus que l'étendue de l'océan. Séparée par le silence, par la fin de toute harmonie, de toute humanité. Séparée par la rupture du pays dans lequel elle est née et elle a grandi avec le pays de l'homme qu'elle a épousé, avec lequel elle a eu ses enfants.

D'autres femmes ont vécu la séparation, leurs maris prisonniers, loin, quelque part dans les camps, en Allemagne, en Pologne. Beaucoup ont eu une conduite héroïque, ont élevé seules leurs enfants, ont déployé des trésors d'ingéniosité et de courage pour faire face aux difficultés matérielles. Toutes n'ont pas eu le privilège de pouvoir faire parvenir à leurs hommes prisonniers dans les camps des lettres codées, des cadeaux, des messages d'amour tricotés. Mais du moins elles n'avaient pas à se cacher, de l'ennemi allemand ou du délateur français. Elles pouvaient attendre la Libération, le retour de celui qu'elles aimaient. Ma mère, elle, ne savait rien, ne pouvait rien attendre de l'avenir, sinon cette espérance vague et de plus en plus incertaine que la guerre finirait un jour, que la frontière pourrait se rouvrir pour elle et ses enfants, lui permettre de retourner en Afrique, là où elle avait vécu, pour retrouver l'homme qu'elle aimait.

J'ai du mal à imaginer comment cette femme a pu survivre, non seulement survivre, mais, elle qui était avant tout une artiste, qui jouait au piano Chopin, Liszt ou Debussy, devenir un chef de famille, avec toutes les responsabilités que cela implique : décider de partir en auto, avec ses propres parents, dont un vieillard britannique qu'elle doit cacher, et ses deux enfants, un bébé de six mois à la mamelle et l'autre âgé de deux ans, qui la tète encore quand il n'y a rien d'autre à manger (c'est pour cela que les femmes de la race humaine ont deux seins), à travers la France en ruine, sur les routes défoncées par les obus, dans un paysage miné et barré par les chicanes, franchir les barrages de la gendarmerie française et de la Gestapo allemande, discuter avec la Kommandantur pour obtenir des bons d'essence, réparer le carburateur bouché de la vieille guimbarde, tout cela pour arriver à Nice où la guerre ne va pas tarder à la rejoindre.

Mais moi, comment vais-je remplir le vide ? Comment vais-je meubler cette maison grise de ma petite enfance, inventer le paysage que je ne vois pas à travers la fenêtre bouchée au papier bleu, à travers les volets barricadés contre les balles perdues ? Une nuit, dans le ciel de montagne, l'été 44, j'ai vu le ballet des balles traçantes, pareilles à de merveilleuses lucioles. Est-ce que ma mère, ma grand-mère nous autorisent à les regarder parce que cela marque la fin de la guerre ? Je collectionne les choses perdues. Les objets volés pendant la déroute à travers la France, ce tableau du Greco qui ornait la salle à manger de mes grands-parents, à Paris, et que ma mère détestait tant, le visage triste de Joseph vendu par ses frères – volé dans le wagon plombé bombardé quelque part sur le chemin du Sud, et pillé par les maraudeurs. Tout ce qu'il en reste, la copie par Hippolyte Flandrin, accrochée dans une église du Quartier latin. Dans l'inventaire des choses perdues – échangées par ma grand-mère contre des bons de nourriture, du charbon, des médicaments, dans cette longue et grotesque duperie qu'on a appelée le « marché noir » –, envolés les bijoux en or, les colifichets de la Belle Époque, les châles de soie et les tours de cou en fourrure de zibeline, les verres de Venise. L'autre versant de la guerre, c'est ce cocon délicieux dans lequel nous nous abritons, mon frère et moi, chaque soir : quand notre grand-mère Alice nous accueille dans son lit, et nous l'écoutons reprendre la saga des aventures du petit singe Monami, né malin, qui se débrouille pour trouver à manger, vole les fruits dans les vergers, déniche les bonbons cachés dans les bocaux, et trompe tout le monde pour survivre. Les aventures de Monami nous ont permis d'oublier un instant la violence, la rumeur de crime qui rôde dans les rues du village, de l'autre côté des volets fermés. D'oublier momentanément notre faim. Quand je commence à écrire en 47 mon premier roman, *Un long voyage*, dans le bateau qui nous emmène en Afrique, je pense encore à la faim. Oradi, le héros de mon roman, s'adresse au capitaine du navire : « I am hungri ! » — « Si tu as faim, alors je te donne un chat ! » — « À manger ? » — « Non, comme amitier ! » (*sic*).

La fin de la guerre, cela ne signifie rien pour un enfant. L'enfant ne vit pas dans l'Histoire. Il ne connaît que les histoires, les contes, les paroles saisies au vol, les rêves éveillés. Je ne sais si j'ai assisté à la destruction du port de Nice par les artificiers allemands. Je ne me souviens que de la bombe lâchée par un avion, de la secousse qui m'a jeté au sol. Mais de cela même je ne suis pas sûr. Peut-être, après coup, en écoutant les récits des témoins, ai-je confondu les évènements ? Quand nous revenons à Nice, à la fin de l'été 44, l'armée allemande a déjà quitté la ville. Mais nous ne sommes pas libérés pour autant : il est toujours interdit de descendre dans la rue. Les jardins, les parcs alentour – le grand parc des oliviers où plus tard j'irai m'asseoir pour lire Virgile – sont minés, fermés au public par des barbelés portant des panneaux à tête de mort. Les chemins d'accès à la mer sont murés. Le premier tableau que je dessine à la craie sur une planchette de bois blanc représente ce que je vois de la fenêtre de la chambre de ma grand-mère, au sixième étage de la villa Idalie : les palmiers, les toits rouges des villas, et le port, avec sa digue éventrée et un mât de navire naufragé qui émerge de l'eau.

Nous nous aventurons dans le garage, où la vieille De Dion-Bouton trône sur des supports de brique, dépouillée de ses roues par les soldats allemands. Elle sera notre terrain de jeu, à mon frère et à moi, pendant le long temps qui suit la fin de la guerre. Puis ma grand-mère s'est débarrassée de cette carcasse qui devait lui rappeler de mauvais souvenirs, elle la vend à un paysan de l'arrière-pays qui la remet sur roues et s'en sert comme d'une camionnette pour transporter ses légumes au marché. Les traces de la guerre sont visibles partout, sur les façades criblées des immeubles, dans les trous des obus sur la chaussée, les carcasses de voitures incendiées, les peintures de camouflage, les inscriptions en allemand. Ce que voient tous les enfants du monde sur les champs de bataille. Lorsque nous descendons l'escalier de l'immeuble pour aller chercher les boulets de coke et la sciure de bois à la cave, comme un rituel nous mettons nos doigts dans le trou laissé dans le mur de la cage, comme si nous allions pouvoir en extraire la balle tirée par un soldat allemand apeuré. J'ai rêvé longtemps que c'était sur nous qu'il avait tiré !

La fin de la guerre, c'est la reprise de contact avec toute cette famille que nous avions fuie dans la montagne. J'essaie d'imaginer ce que cela peut être, pour les enfants qui vivent dans le cercle chaud, étroit, enveloppant d'une grande famille – les oncles, les tantes, les cousins-cousines, les amis de la famille, les ennemis aussi. Les relations professionnelles des parents, les camarades de classe, les enfants d'alentour avec qui on apprend les jeux, les injustices, les querelles, les rires. Nous avons grandi comme en prison, sans amis, sans parents. Après 45, nous sortons de notre tanière, nous rencontrons ces gens dont nous n'avons jamais entendu parler. Il faut les embrasser, leur dire « oncle », ou « tante », les écouter parler.

Plus que les dangers, ce qui m'a nourri durant mes cinq années de solitude, c'est le sentiment d'étrangeté. Comme si la guerre avait creusé un fossé définitif entre ceux d'avant et ceux d'après. Ce vide qui m'a pénétré a rejeté au loin tout ce qui m'avait précédé. Lorsqu'on a cinq ans, six ans, on ne peut mettre de mots sur le refus.

On le sent, c'est tout, et on regarde avec des yeux étonnés, un serrement de cœur, ce vieux monde en train de disparaître. Non pas en train de changer, mais vraiment de disparaître. Non pas juste une image, mais vraiment la disparition, la décrépitude des êtres. Cette vieille tante mauricienne, autrefois si belle, gaie, menant grande vie avec son mari, conduisant une torpédo décapotable sur la Côte d'Azur, réduite à la pauvreté la plus extrême, devenue aveugle, survivant à Nice dans un taudis près de la gare, en butte à la turpitude d'un contrôleur d'autobus qui s'introduit chez elle pour coucher avec sa fille anormale. Gaby, l'amie de toujours de ma grand-mère, si artiste, si excentrique et flamboyante dans sa jeunesse, quand elle travaillait aux studios Pathé, et sa sœur Maud, vivant comme deux pauvresses dans le sous-sol d'une villa à l'abandon, encore marquée par le crénelé infamant tracé à la craie sur la porte d'entrée pour signaler à la vindicte des partisans l'emplacement d'un nid de collabos. Toutes deux mourant de faim en compagnie d'une harde de chats à demi sauvages, la plus âgée des deux sœurs effectivement morte quelques semaines après la Libération, de tuberculose et de sous-alimentation.

Les innocents, mais aussi les coupables, que les yeux d'enfant aperçoivent clairement, dans le discours anticlérical d'un colonel à la retraite, blessé à la jambe durant la conquête du Maroc, ses propos pour tourner en dérision les peuples indigènes, d'Afrique du Nord, d'Indochine ou de Madagascar, pour dénoncer les travailleurs immigrés, les communistes, les Juifs, les Américains, et surtout, comme toujours, les Anglais ! Est-ce de lui que nous tenons ce masque hideux de Shylock, avec lequel nous jouons à faire peur à notre grand-mère en l'habillant de houppelandes et en le coiffant de feutres mous, jusqu'à ce que ma mère s'en indigne et le jette à la poubelle ? Et qui nous a fourni les collections du journal *Aux écoutes*, ou les romans patriotiques contant les aventures de Barnavaux, soldat de France, et de sa tigresse dévoreuse de « niakoués » ?

D'avoir eu faim, d'avoir ressenti la peur et le vide durant les premières années de ma vie ne m'a pas endurci. Mais cela m'a rendu violent. Sans doute est-ce le sort de tous les enfants nés au milieu d'une guerre. Non pas qu'ils voient des scènes de crime, de mort, de rapine, mais ils perçoivent de façon instinctive que les règles de la société n'existent plus, qu'il n'y a plus de douceur ni de partage, et qu'il existe quelque part, au-dehors, dans les rues désertes, derrière les façades bombardées, dans les terrains vagues piégés, une autre race d'hommes puissante et dangereuse. Est-ce cette violence ? Ou les carences alimentaires, la baisse des défenses immunitaires ? Plusieurs fois j'ai été très malade, après la fin de la guerre, une toux incontrôlable jusqu'au vomissement, diagnostiquée par le médecin de quartier comme du faux croup, mais qui s'est révélée plus tard une atteinte de tuberculose. Je me souviens de migraines insupportables, à tel point que je devais me cacher sous les tables, à l'abri de la lumière. Cette violence, je la ressens encore, une rancœur, le sentiment confus d'avoir été trompé, d'avoir vécu dans un mensonge général. Nous sommes, mon frère et moi, élevés par des femmes, dans un monde où les hommes sont absents, et sans doute sommes-nous devenus de petits rois, de petits tyrans, habitués à crier pour nous faire entendre. Lorsque l'enfermement de la guerre est terminé, qu'on peut à nouveau ouvrir les fenêtres, je me souviens d'avoir été traversé par des crises de colère incoercibles, pendant lesquelles je jette par la fenêtre du sixième étage tout ce qui me tombe sous la main, des livres, des objets, et même des meubles. Je me souviens d'avoir pleuré, d'avoir crié à m'en rompre la gorge. Ce n'est pas de la colère capricieuse. C'est de la fureur, simplement, de la fureur sans objet et sans raison.

Au bout de cette enfance, il y a l'Afrique.

Il le fallait, c'était nécessaire. Mon père attendait la venue de sa femme et de ses enfants depuis sept ans. Après un rapide voyage d'une ou deux semaines en France, il a conçu un plan pour notre avenir : nous quitterons la France pour le rejoindre au Nigeria, puis il prendra sa retraite en Afrique du Sud où nous pourrons faire nos études, devenir des adultes. Tout est prêt, l'ami de mon père le docteur Jeffrey nous accueillera à Durban (où des membres de notre famille mauricienne résident). Ce sera une vie nouvelle, loin de cette France exsangue et vaincue qui nous a rejetés. Loin de cette ville de misère au soleil qui a trempé dans les affaires louches du marché noir et de la délation.

Nous sommes arrivés en Afrique, deux gosses hâves et incultes, pleins de colère et d'insubordination. Je nous reconnais aujourd'hui dans les images des enfants de migrants que je vois dans la presse ou à la télé, fuyant les pays en guerre, les pays de destruction et de crimes, l'Afghanistan, la Syrie, l'Irak, la Somalie, le Soudan. Comme eux nous portons des habits rapiécés, comme eux nous devons avoir une expression sournoise sur nos visages. La marque que laisse la peur. Comme eux nous avons besoin de nous venger sur quelque chose, de frapper, de crier, de mordre. Les premiers temps, à Ogoja, nous courons dans la plaine herbeuse, armés de bâtons pour détruire les châteaux des termites. Nous chassons les scorpions, les lézards. La nuit nous écoutons les cris des chats sauvages.

Mais la différence, c'est que nous, nous venons de l'Europe ancienne, la région la plus développée du monde, qui n'a utilisé son progrès technique que pour produire des armes de mort. C'est l'Afrique qui va nous civiliser. C'est en Afrique, le continent considéré aujourd'hui comme oublié, que nous allons connaître pour la première fois la liberté, le plaisir des sens, l'abondance de la nature. Sans doute y avons-nous découvert aussi l'injustice fondamentale de la colonie, les mauvais traitements infligés aux prisonniers, l'arrogance des administrateurs coloniaux et des commerçants étrangers qui vivent comme des pachas. Mais pour la première fois depuis longtemps – pour moi la première fois de ma vie – nous mangeons à notre faim, nous n'avons pas peur du dehors, nous n'avons pas à nous cacher. Nous sommes plongés dans un espace sans limites, sous un ciel immense. Nous vivons chaque jour une aventure dans la brousse, au bord de la rivière Cross. Chaque nuit est le théâtre magique des orages, du ciel zébré d'éclairs, et de la pluie torrentielle.

Nous arrivons en Afrique, à Port Harcourt, au mois de juin 47, à la saison des pluies, après un voyage d'un mois avec notre mère sur le navire hollandais *Nigerstrom.* Notre père nous attend, il nous fait monter à bord de sa Ford V8, un camion plutôt qu'une auto, et nous partons en cahotant sur les routes de latérite, nous traversons les rivières en crue. Nous savons que la guerre est vraiment finie.

Œuvres de J.M.G. Le Clézio (suite)

LA FÊTE CHANTÉE

HASARD *suivi de* ANGOLI MALA (Folio nº 3460)

GENS DES NUAGES, en collaboration avec Jemia Le Clézio. *Photographies de Bruno Barbey* (Folio nº 3284)

CŒUR BRÛLE ET AUTRES ROMANCES (Folio nº 3667)

RÉVOLUTIONS (Folio nº 4095)

L'AFRICAIN (Folio nº 4250)

OURANIA (Folio nº 4567)

BALLACINER

RITOURNELLE DE LA FAIM (Folio nº 5053)

HISTOIRE DU PIED ET AUTRES FANTAISIES

TEMPÊTE, DEUX NOVELLAS (Folio nº 6380)

ALMA

QUINZE CAUSERIES EN CHINE

Aux Éditions Skira

HAÏ

Aux Éditions Arléa

AILLEURS. Entretiens avec Jean-Louis Ezine sur France Culture

Aux Éditions du Seuil

RAGA, APPROCHE DU CONTINENT INVISIBLE

Aux Editions Stock

BITNA, SOUS LE CIEL DE SÉOUL

Composition : Nord Compo
Achevé d'imprimer
par Normandie Roto Impression s.a.s.
61250 Lonrai, en juillet 2020.
Dépôt légal : juillet 2020.
1er dépôt légal : février 2020
Numéro d'imprimeur : 2002733
ISBN 978-2-07-289499-2 / Imprimé en France.

374227